<제목 차례>

1 패션의류산업 관련 기업 소개

1. 패션의류산업 관련 기업 소개

가. 루이비통코리아

1) 회사소개

LOUIS VUITTON

그림 2 루이비통 로고[1)]

루이비통은 1854년에 설립된 프랑스의 하이엔드급 명품 브랜드이며, 샤넬, 에르메스와 함께 3대 명품 브랜드로 통하는 럭셔리 브랜드이다. 줄여서는 LV라고도 부르며, 1854년 루이비통이 프랑스 파리에 최초로 매장을 오픈했다. 루이 비통은 럭셔리 트렁크와 가죽 제품, 신발, 기성복 등으로 이루어진 최고의 제품들을 가진 LV 모노그램으로 가장 잘 알려져 있다. 루이 비통은 세계 최고의 국제적인 패션 하우스 중 하나이며, 백화점 내 임대 매장, 독립 부티크, 공식 웹사이트 상의 e-commerce를 통해 제품들을 판매하고 있다.

2) 채용공고

가) Stylist

근무지	서울 STORE
업무소개 및 지원자격	[업무소개] 、전문적인 Styling 을 통해 고객에게 최고의 Client Experience를 제공하고 이를 통해 Sales에 기여하는 업무 、Fashion Trend 및 Styling 가이드에 대한 트레이닝을 제공하고, 이를 통해 Louis Vuitton의 실루엣을 완성하는 업무 * 지방 출장 가능성 있음 [지원자격] 、4년제 대졸 이상 、관련 경력 2년 이상 、관련 학과 전공 우대 (패션 전공) 、명품 브랜드 여성 RTW (Ready-to-Wear) Sales, MD, Stylist 경력 우대 [채용형태] 、정규직

1) 출처 : 루이비통

나) Store Visual Merchandiser

근무지	서울/경기
업무소개 및 지원자격	[업무소개] · Window / Animation · Monthly VM Rotation / VM Re-refresh · Newness Launch VM · VM Maintenance · VM Prop inventory · Instore Event VM Support · LV Korea Event VM Set up & Support [지원자격] · 4년제 대졸 이상 · 경력 3년 이상 · 관련 학과 전공 우대 (미술/의류 전공) · 영어 필수 · Photoshop / Illustration 가능자 [채용형태] · 정규직

다) Facilities Specialist

근무지	삼성동 Office
업무소개 및 지원자격	[업무소개] · Plan and support the repair and maintenance activities in stores of Korea · Support Project Manager/Facilities Manager with Spending, Budgeting, Forecast, Tender, Planning and follow up of Store Project such as new store opening, Pop-up's, Temp-Store and Minor Works · Keep track on the regular repair and maintenance spending that to meet with the budget · Handling internal FM documentary and system such as Purchase Order, Good Received, Service Contract etc. · Be a fast responder in handling repair and maintenance request from store · Conduct regular visits to stores and company facilities that to ensure it meets with company standard, safety and security policy · Coordinate with vendors to perform a wide range of facilities

	related services · Good negotiation skills, especially when deal with outside parties such as vendor and suppliers for a best position to the company · Supervise maintenance work so to meet with company standard, government regulations, environmental, health & safety requirement and comply with legislation · Control electricity consumption and work actively with energy saving strategy · Support internal/external department with status on allocation of store fixture and hardware · Carry out other duties as assigned by supervisor · Occasional business travel is required [지원자격] · Architecture or interior design degree · Over than 5 years of facility management or project management of architecture or interior design field. Luxury retail store preferred. · Auto CAD, Microsoft Office, Sketch-Up, Photoshop, Illustrator, etc. preferred. · Personality: Good interpersonal skills, Proactive & positive mindset, Detailed & perfectionist [채용형태] · 정규직

라) 지원방법[2)]

사람인 지원, 이메일지원 - 지원서류 : 국문 또는 영문 이력서 1장 이내 / 지원동기

루이비통코리아는 2021년 신입 및 경력 채용 공고를 고지하였다. Stylist 직무군의 지원 자격은 4년제 대졸 이상, 관련 경력 2년 이상이 되어야 하며 우대 조건으로는 관련 학과 전공을 우대해주며 명품 브랜드 여성 RTW(Ready-to-wear) Sales, MD, Stylist 경력을 우대해준다. Store Visual Merchandiser 직무군의 경우 지원 자격은 4년대 대졸 이상, 영어, photoshop / Illustration 가능자여야 하며 우대 조건으로는 관련 경력 3~5년 우대되며 관련 학과 전공(미술/의류 전공) 우대를 받을 수 있다.

2) 출처 : 사람인, LOUIS VUITTON 신입 및 경력 채용

3) 채용절차

• 서류전형 합격자에 한하여 면접일정을 개별통보합니다.
• 면접은 지원하신 포지션에 따라 2회 이상 진행될 수 있습니다.
• **면접 전형은 지원일 기준으로 수시로 진행되오니 빠른 지원 바랍니다.**

4) 취업팁과 이슈

가) 채용현황

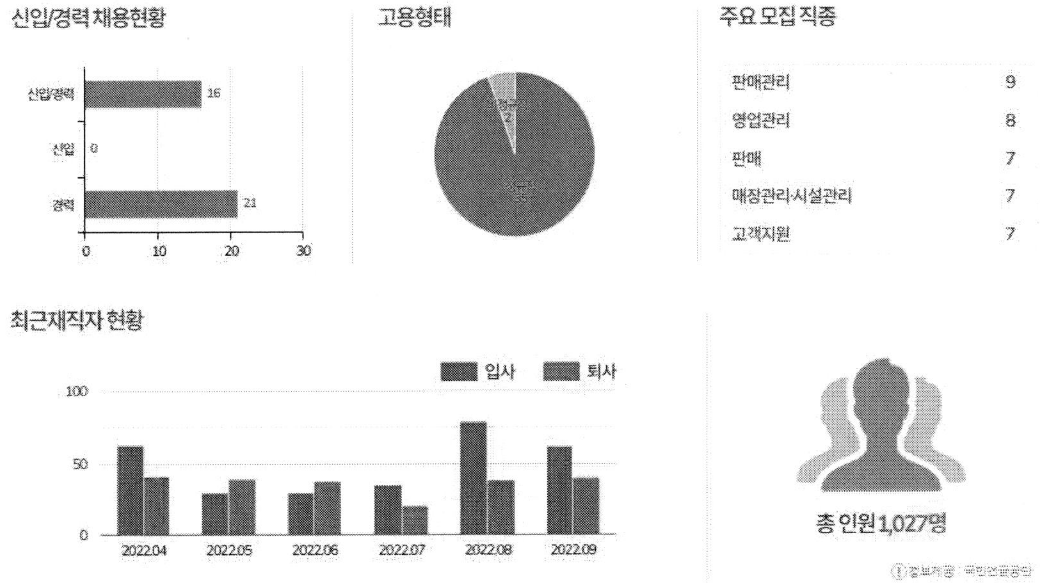

나) 최근 이슈

루이비통코리아는 2021년 1월 7일 부로 주요 제품의 가격을 인상하였는데 이번에 가격이 인상된 제품들은 다른 루이비통 제품에 비해 비교적 저렴하면서도 한국 소비자들에게 인기 있는 제품이었다. 최근 명품소비가 잦아지고 있는 가운데, 루이비통코리아는 가격 인상 공지 없이 인상을 진행하였으며, 과거에도 가격 인상의 근거를 정확히 밝히지 않는 경우가 많았다.

5) 참고 내용[3]

주요서비스	도·소매, 무역
인재상	창조성, 변화무쌍함, 팀워크, 오픈마인드, 민첩성, 열정
비전	루이비통은 세계를 향해 열려 있는 기업으로, 세계 곳곳의 여러 나라에서 방문하는 고객에게 만족스러운 서비스를 제공

나. 코오롱인더스트리

1) 회사소개

[4]

그림 6 코오롱인더스트리 로고

코오롱인더스트리는 1957년 국내 최초로 나일론을 생산하여 국가경제 발전에 기여해 온 코오롱을 전신으로 하고 있으며, 2009년 코오롱그룹 지주 회사 체제전환의 일환으로 분할되어 신설된 기업으로써 현재는 사업영역을 산업소재, 화학, 필름/전자재료 및 패션의 4대 부문을 중심으로 하여 관련시장을 선도하고 있는 기업이다.

3) 인크루트
4) 출처 : 코오롱인더스트리

2) 채용공고 5)

가) 계약직 연구보조원 상시채용

직무	연구보조/지원
경력/신입 구분	신입/경력
근무형태	계약직
주요업무	연구보조/지원
모집분야내용	■ MEA 관련 유상샘플 제작 부문 연구보조원 ■ 자동차 소재/부품 부문 연구보조원 ■ 패널재료 부문 연구보조원
근무지	서울
자격요건	[공통] 1. 대졸 이하 2. 군필 또는 면제자로 해외여행에 결격사유가 없는자 (*보훈대상자 등 취업보호대상자 관계법령에 의거 우대) [세부자격요건] ■ MEA 관련 유상샘플 제작 부문 연구보조원 1) 이공계열 전공자 우대 2) 화학제품(코팅재료) 평가업무 유경험자 우대 3) 연료전지/이차전지 전극제조 및 평가업무 유경험자 우대 4) R&D 개발품 샘플제조 유경험자 우대 ■ 자동차 소재/부품 부문 연구보조원 1) 이공계열 전공자 우대 2) 제조업 생산/연구업무 유경험자 우대 3) 연구보조업무 유경험자 우대 4) MS Office 활용 능통자 우대 ■ 패널재료 부문 연구보조원 1) 이공계열 전공자 우대 2) 제조업 생산/연구업무 유경험자 우대
제출서류	취업보호 대상 증명원, 경력증명서, 최종학교 졸업증명서, 성적 증명서
접수방법	코오롱 그룹 채용 홈페이지
기타 유의사항	1.국가보훈대상자는 관계법령에 의거하여 우대합니다. 2.각종 증빙서류는 면접전형시 제출하여 주시기 바랍니다. 3.증빙서류 및 입사지원서 기재내용이 허위임이 판명될 때는 합격 및 입사를 취소할 수 있습니다.

5) 출처 : 잡코리아, KOLON SPORT 여성의류 디자인 담당 모집

3) 채용절차

서류전형 > 1차면접 > 건강검진 > 최종합격

6)

4) 취업팁과 이슈

가) 채용현황

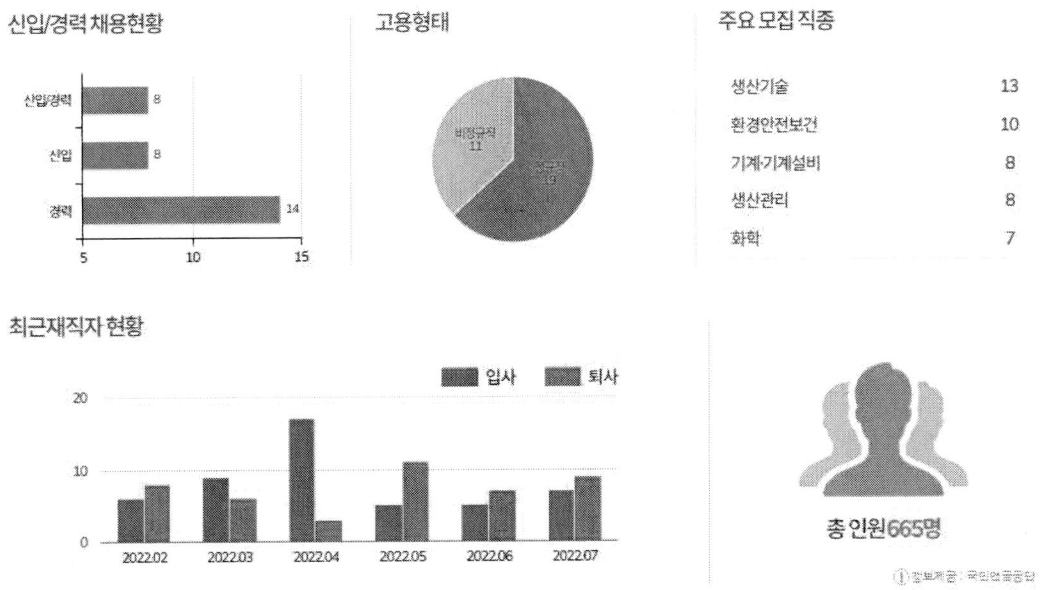

나) 최근 이슈

2021년 북극 한파와 폭설이 진행되면서 방한용 아이템 판매가 눈에 띄게 증가하였다. 코오롱인더스트리FnC이 전개하는 아웃도어 브랜드 '코오롱스포츠'는 다운 아우터 상품이 1월 둘째 주 매출 신장율이 동기간 전년대비 45% 증가했다. 또한 베스트셀러인 안타티카는 동기간 판매량이 5배 정도 증가했다. 이번 한파는 2020년 1월 전국 평균 기온이 2.8도를 기록할 정도로 역대 가장 따뜻했던 것과 비교 됐기 때문이다.

5) 참고 내용

주요서비스	산업자재/필름·전자재료/화학/패션
인재상	창의/도전/긍정/미래지향
복지제도	출퇴근 지원 / 사내·외 교육비 지원 / 자녀학비 지원 / 건강관리, 주택 지원

6) 출처 : 상동

다. 패션그룹형지

1) 회사소개

[7]

그림 9 패션그룹형지 로고

패션그룹형지는 1996년 런칭한 '크로커다일레이디'의 성공으로 국내에 3050 여성캐주얼 시장을 만들며 패션 산업을 주도하는 종합패션기업이다. 2012년 남성복 전문기업 우성I&C를 인수함으로써 남성복의 입지를 확대하고, 2013년 학생복 기업 에리트베이직을 인수하여 교복사업으로도 확장해나가며 종합패션유통기업으로 자리매김하였다.

2) 채용공고

가) 디자인팀(올리비아 하슬러)

담당 업무	• 완사입 이너, 티셔츠, 니트 품평 샘플 진행 및 큐씨 핸들링
자격 요건	• 동종업계 5년 이상 근무 경력
기타사항	• 입사지원 서류에 허위사실이 발견될 경우, 채용확정 이후라도 채용이 취소될 수 있습니다.

[8]

나) 영업팀

담당업무	-
자격 요건	• 학력 : 대졸이상 • 경력 : 경력무관
우대사항	• 인근거주자 • 컴퓨터활용능력 우수자 • 차량소지자 • 운전가능자 • 엑셀 고급능력 보유자
기타사항	• 입사지원 서류에 허위사실이 발견될 경우, 채용확정 이후라도 채용이 취소될 수 있습니다.

7) 출처 : 패션그룹형지
8) 출처 : 잡코리아, 샤트렌 상품기획 경력직 채용

3) 채용절차

• 서류전형 > 1차면접 > 2차면접 > 임원면접 > 최종합격

9)

4) 취업팁과 이슈

가) 채용현황[10]

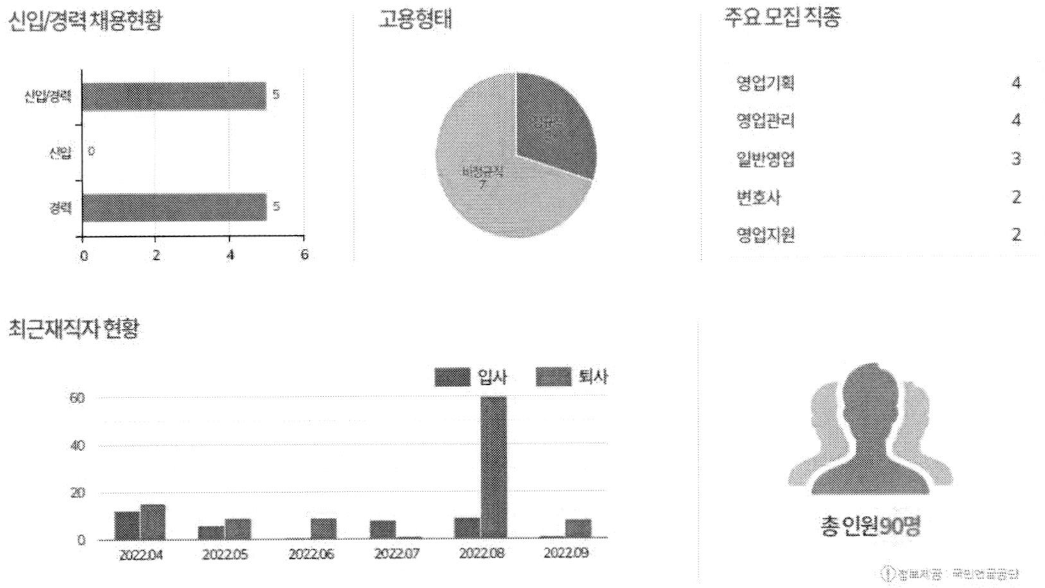

나) 최근 이슈

패션그룹형지의 형지엘리트는 상해로 진출하여 한중 합자법인 '상해엘리트' 가 2020년 흑자 전환에 성공하였다. 2020년에 전년 대비 약 51% 증가된 160억 원을 기록하고, 영업이익과 당기순이익은 각각 3억 4000만원, 3억 7000만원을 달성하였다. 2021년 상해엘리트는 차별화된 제품과 전국 영업망 정비 온-오프 채널 특성에 맞춘 마케팅 전략 등을 통해 현지 마켓에서 경쟁력을 한 차원 강화할 예정으로 보인다.

5) 참고 내용[11]

주요서비스	패션사업 / 런칭사업 / 고객서비스
인재상	창조적 사고 / 직무에 대한 역량과 전문성 / 학습 역량과 핵심가치 실천
비전	고객의 라이프스타일을 선도하는 패션유통 G3
미션	고객, 구성원, 파트너의 아름다운 조화를 바탕으로 행복한 패션문화를 창출하는 존경받는 기업

9) 출처 : 잡코리아, 샤트렌 상품기획 경력직 채용
10) 인크루트
11) 인크루트

라. 성주디앤디

1) 회사소개

그림 12 성주그룹 로고 [12)]

성주그룹은 1990년 이태리 패션하우스 Gucci의 프랜차이즈 계약, 1991년 프랑스 디자이너 Sonia Rykiel의 프랜차이즈 계약, 프랑스 명품브랜드 YSL의 화장품 및 패션 라인 (Rive Gauche) 독점 대리권 및 라이센스 컨트롤 계약 등을 잇따라 성사시키며 한국 명품시장에 등장했다. MCM 본사를 인수하면서 단시간 내에 세계 35여 개국에 매장을 내고, 국내 시장엔 면세점을 포함하여 60여 개의 매장을 열은 럭셔리 브랜드이다.

2) 채용공고

가) 프리랜서 패션 디자이너 (계약직)

자격요건	• 학력 : 대졸 이상 (4년) • 나이/성별 : 무관 • 3년이상 관련 업무 유경험자 • 영어가능자 우대 • 일러스트 실력자 우대
담당업무	디자인 업무, 그래픽작업 (일러스트, 포토샵)
근무지	서울 강남구

나) [MCM] Cloud Computing & Security Manager

자격요건	• 컴퓨터 과학, 정보 기술 또는 기타 관련 분야의 학사 학위, 5~10년의 IT 실무 경험 • Technology 분야의 관리 경험/지식 및 관련 Security Solution에 대한 지식 • 새로운 기술에 대한 탐구정신과 미 경험 분야에도 도전할 수 있는 열정 • Project leading, support, Operation 역량 • 해외 파트너 및 전세계 IT팀과의 협업을 위한 영어 커뮤니케이션 능력 • Hybrid IT Infra환경 및Cloud Platform에 대한 경험, UEM, IAM, MDR에 대한 경험과 이해 • 문서화 및 서면/구두 프레젠테이션 역량

12) 출처 : 성주그룹

담당업무	• Description: Cloud based computing 증가에 따라 Endpoint의 중요성 및 보안 이슈가 중요하게 대두되고 있는 최근 기술 환경 하에서, 사용자들이 비즈니스 활동에 필요한 서비스에 접근할 때 충분한 Capability를 가지면서 동시에 적절한 권한을 행사할 수 있는 환경을 제공하고 이를 통합적으로 관리하는 역할을 담당합니다. 또한, 보안 관점에서 실시간으로 Endpoint단에서의 보안 위협을 모니터링하고 대응하기 위한 다양한 프로젝트의 설계, 구현 및 운영에도 참여하게 됩니다. Global Technology & Intelligence 본부에 소속된 Core Technology팀의 멤버로서 아래 명시된 프로젝트들을 리드 또는 참여하게 되며, Global 프로젝트인 경우에는 해외 법인의 IT팀들과 협업하여 효과적으로 Deploy하고 Operation될 수 있도록 HQ로서의 리딩 역할을 수행합니다. • Responsibilities: - End Point 기술 및 보안 영역에서의 플랫폼과 솔루션 전략 수립 및 실행 - On-prem 또는 Cloud end point platform 솔루션을 도입하고 모든 종류의 End point environment를 관리(애플리케이션 패키징/배포, 하드웨어 등록, OS 및 application life cycle 관리, Data Protection관리, security frame work의 end to end process 설계, 개선, 자동화 및 관리) - 응용 프로그램과 End point 상호 관련된 프로젝트의 측면을 감독하고 지속적으로 최적화 - 사용자가 회사의 자산에 대한 올바른 액세스를 정의하고 관리하는 플랫폼을 구현 - 인증, 권한 부여 및 관리에 중점을 두고 연관된 영역과 통합적으로 솔루션을 도입 - Identity & Access management infra 영역의 전략을 수립하고 솔루션 도입 및 운영 리딩 - ITOM기반으로 이벤트/문제/변경 관리를 위한 ITSM절차를 구현하고 지속적으로 개선 - 성능 및 가용성을 위해 높은 기준을 유지하면서 플랫폼 및 서비스의 효율성과 유연성을 지속적으로 개선 - Endpoint Cyber security monitoring을 통해 보안 위협 및 피해 방지를 위한 관리 활동
우대사항	• 서비스 파트너 관리/협상 기술 및 파트너 리소스 관리에 대한 경험 • 창의적이고 논리적으로 판단하는 능력과 강력한 문제 해결 능력
근무지	서울 강남구

13)

13) 출처 : 사람인, [MCM] Merchandising Planner 채용공고

3) 채용절차

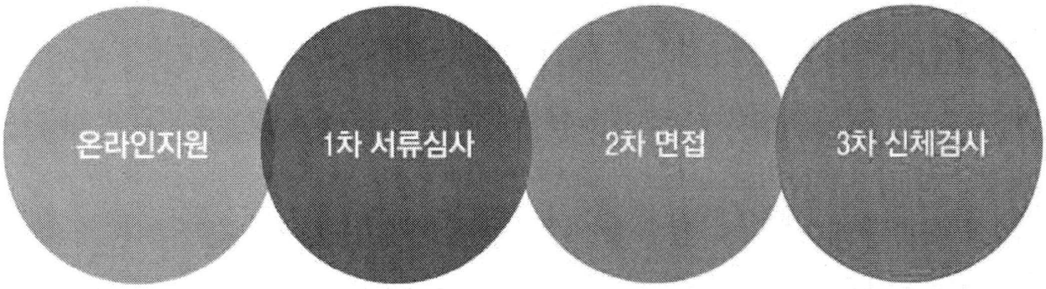

14)

성주디엔디의 채용절차는 사람인 온라인 이력서 양식을 통해 사람인 입사지원을 한다. 1, 2차 면접 진행 후 최종합격이 발표가 된다.

4) 취업팁과 이슈

가) 채용현황

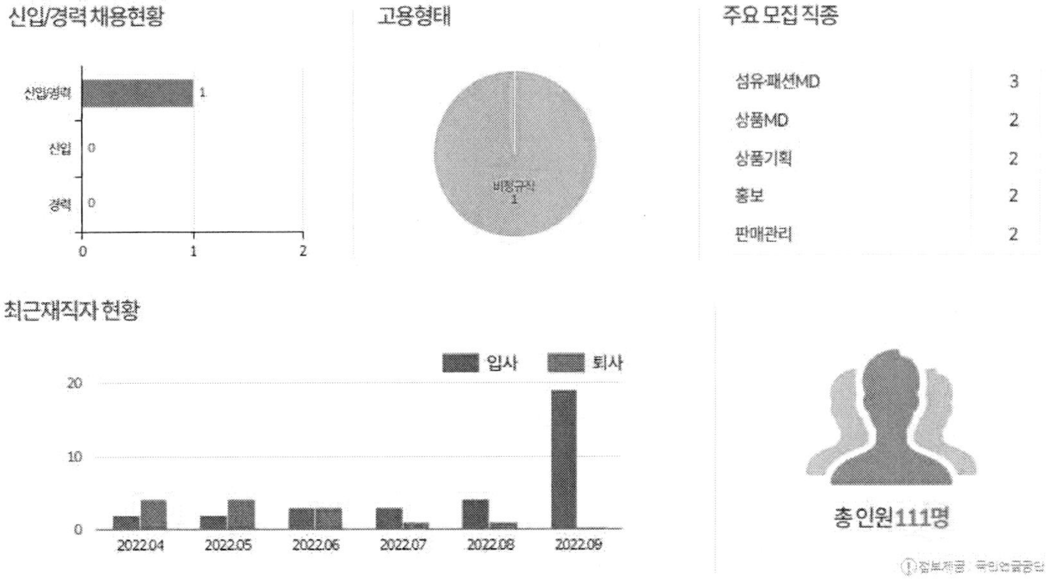

성주디엔디의 MCM은 MZ세대를 위한 스마트 럭셔리 브랜드에 집중해 옴니채널을 강화한ㄷ. 이를 위해 몇 년 전부터 매장을 축소, 올해 20여 곳을 운영한다. 전략적으로 포지셔닝을 바꿔 MZ세대가 공감하는 옴니채널 시스템을 구착ㅎ는 데 집중하고 있다. 2020년 성주디엔디는 지속가능한 컨셉으로 자연친화적인 소재를 사용한 '터레인 로(Terrain Lo)' 스니커즈를 선보이고, 터레인 로 스니커즈는 금속을 사용하지 않은 태닝 공정을 고안했다. 또한 성주디엔디는 향후 MCM을 완전한 지속가능한 브랜드로 탈바꿈 시키는 것이 중요하다고 하였다.

14) 상동

5) 참고 내용

주요서비스	MCM / Marks & Spencer
비전	Sungjoo became one of the top fashion distribution companies in Korea!
미션	노블레스 오블리제
핵심가치	투명경영 / 글로벌 경영 / 사회환원

마. 신성통상

1) 기업 소개[15)]

신성통상은 니트 의류 전문 수출업체로 출발하여 일찍이 글로벌 생산체제를 갖추고, 국내 패션브랜드 사업을 강화해나가며, 수출과 내수의 양대 사업을 축으로 지속적인 성장을 이루고 있다. 대우그룹 계열의 섬유회사가 모태로, 1984년 계열분리하고 독자경영을 시작하였으나 1999년 대우그룹 해체와 함께 법정관리에 들어갔다. 2002년 텐트·가방 제조 회사인 가나안에 매각되었다.

2) 채용공고 소개[16)]

가) 마케팅팀 올젠담당 경력직 수시채용

주요업무	- 시즌 비주얼 기획 및 촬영 진행 - 브랜드 및 주력 아이템 이슈 생성/홍보 - 디지털 바이럴 기획 및 릴리즈 - 캠페인 및 콜라보레이션 기획/실행 - 연간 마케팅 플랜 기획 및 예산 수립 - 아이텐티티 구축 및 브랜딩(브랜드 컬쳐 및 사회환원 캠페인 등) - 기타 마케팅 업무 제반

15) 신성통상 홈페이지
16) 잡코리아

자격요건	- 학력 : 학사 이상 - 경력 : 2년 이상 - 직급 : 사원 ~ 대리 - MS OFFICE 중급 이상 - 그래픽툴(포토샵, 일러스트레이터) 중급 이상
우대사항	- 브랜드 마케팅 기획 유경험자(연간기획 및 예산편성) - 패션 마케팅(광고/홍보) 유경험자 - 디지털 매체 및 온라인 대한 높은 이해도
지원방법	- 자사 채용 홈페이지

나) TOPTEN10 상품기획MD 경력직 수시채용

주요업무	- 트렌드 분석 및 및시장 조사를 통해 차기 시즌 상품 구성 - 상품구성 계획 및 예산 수립 - 유관부서와 원활한 의사소통 및 협의 진행 - 생산 진행 스케줄 점검 및 원가 네고 협의
자격요건	- 학력 : 학사 이상 - 경력 : 4년 이상 - 직급 : 대리 - 패션 MD업무 경력자 - 패션브랜드내 타업무직종 경력자도 지원 가능 - MS OFFICE 사용 가능자
우대사항	- 동업계 경력 우대
지원방법	- 자사 채용 홈페이지

다) 에이션패션 PROJECT M 디자인팀 인재채용

주요업무	- 여성 캐쥬얼 디자인 - 아이템별 디자인 및 FIT개발 - 메인상품 분석 및 차년도 라인업 구성 - 트렌드 디자인 조사 및 분석 - 시즌 컬러웨이 조사 및 분석
자격요건	- 학력 : 학사 이상 - 경력 : 3년 이상
우대사항	- 동업계 경력 우대 - 여성 캐쥬얼 경험자 - 우븐 혹은 니트 디자인 경험자
지원방법	- 자사 채용 홈페이지

3) 채용 절차

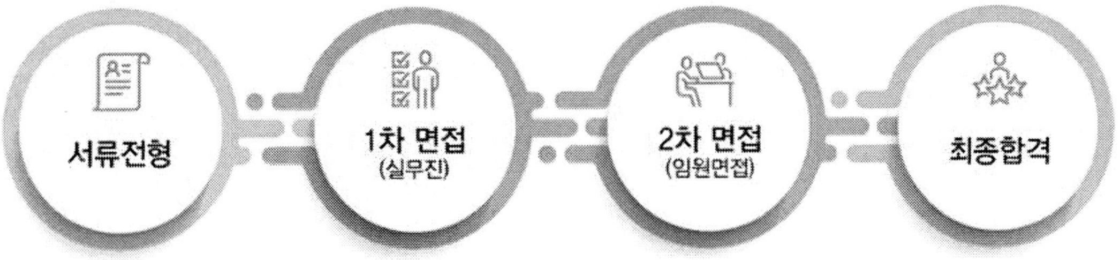

4) 취업팁과 이슈[17)]

가) 직무소개

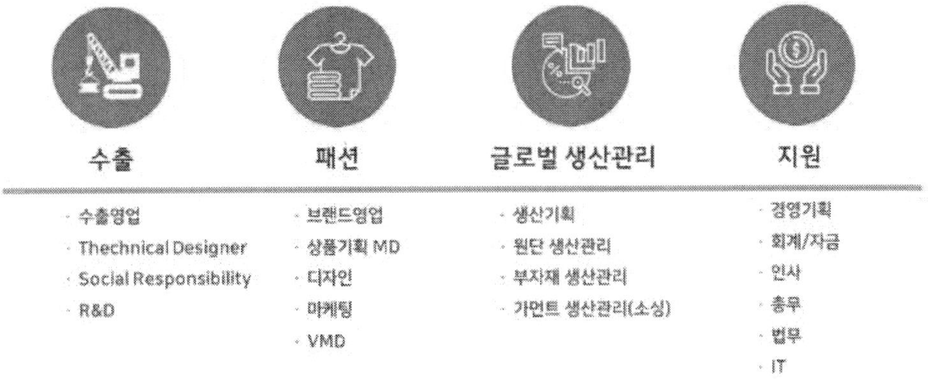

나) 채용 현황

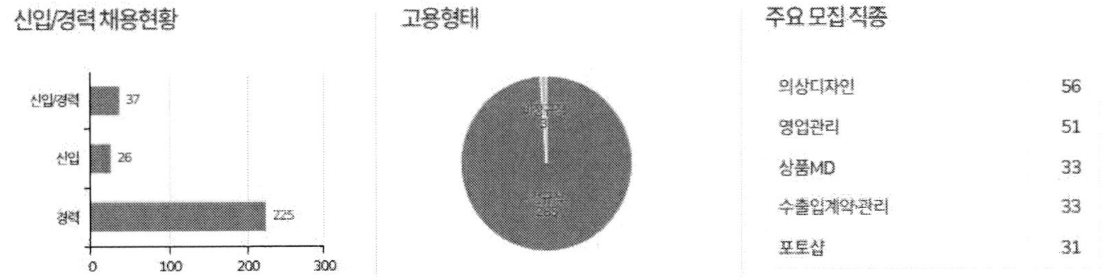

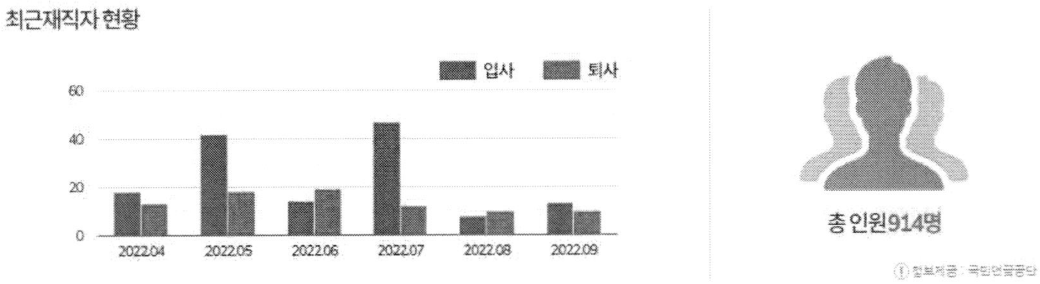

17) 인크루트

5) 참고 내용

주요서비스	수출 / 패션 / 유통
인재상	PASSIONATE / CHALLENGING / PROFESSIONAL
비전	세계 니트시장 선도&글로벌 패션브랜드 육성
미션	해외 생산 거점의 다변화, R&D 강화를 통한 미래 성장 모멘텀 구축
핵심가치	고객우선 / 실행력 / 인재육성

2 기업 취업을 위해 알아야 할 용어와 정보

2. 기업 취업을 위해 알아야 할 용어와 정보

가. 정의

광의의 패션(의류) 산업은 의류 제조 및 판매와 직간접적으로 연관된 산업(소재, 패션 관련 출판/교육/광고 등)을 포괄할 수 있으나, 협의의 의류산업은 소재와 부자재 등을 구입하여 완제품인 의복, 신발, 가방을 생산하여 판매하는 것으로 한정할 수 있다.

패션산업(fashion industry)은 한국표준산업분류를 기준으로 나누어 볼 때, 업스트림(up-stream)의 섬유산업(textile industry), 미들스트림(middle-stream)의 의류 산업(apparel industry), 다운스트림(down-stream)의 섬유와 의류의 도매, 소매 유통업으로 구분할 수 있다.

일반적으로 제품기획 및 디자인과 생산이 분리된 구조를 가지고 있으며, 전자를 의류 브랜드 사업, 후자를 의류 OEM사업으로 구분한다. LF, 한섬, 신세계 인터내셔널, LS 네트웍스, 아비스타가 의류브랜드 사업에 해당하며, 신원, 신성통상 같이 자체설비를 가지고 수출판매를 주로 담당하는 의류 OEM기업이 후자에 해당한다.

가치사슬의 측면에서 접근하면 패션산업은 의류의 디자인, 제조, 유통, 기타(마케팅, 광고, 법, 금융, 회계, 교육, 미디어 등)의 산업으로 세분화할 수 있는데, 이러한 가치사슬별 접근에 따라 한국표준산업분류에서 패션산업에 해당되는 분류를 확인하면, 전문디자인업(M73202 제품 디자인업, M73209 기타 전문 디자인업), 의류제조업(C10), 섬유, 의복 및 의복액세서리도, 소매업(G4641, G4741)등이 해당됨을 확인할 수 있다.

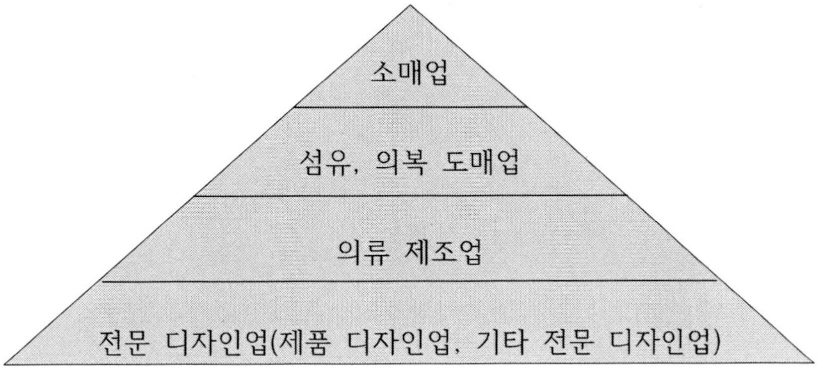

그림 1 국내 패션 산업 가치사슬

국내 패션산업의 현황을 파악하기 위해서는 가치사슬의 측면에서 디자인 및 생산 분야와 유통 및 소비 측면을 구분하여 살펴볼 필요가 있다.

나. 특징

1) 기술, 지식 집약형 산업

국내 패션산업은 저가 대량생산 체제의 섬유산업 단계에서 제품의 기획이나 디자인의 질에 따라 고부가가치가 가능한 기술, 지식 집약형 산업으로 변모해가고 있다. 또한 과거 대규모 자본을 필요로 하는 산업이었던 점에 비해 현대의 패션산업은 소자본으로 기업화가 가능해졌다. 이로써 국내 패션산업은 선진국형 문화창조산업으로 빠르게 변모하고 있으며, 소득수준이 상승함에 따라 패션은 소비자의 라이프스타일을 표현하는 수단으로 문화를 창조하는 한 축을 담당하고 있다.

2) 타 산업 간의 높은 연계성

의류산업의 또 다른 특징으로는 원부자재, 각종재료, 기계설비, 전산장비 등 관련 산업 간의 유기적인 협력체계가 중요하다는 것이다. 외환위기 이후 국내 대부분의 의류기업들은 제품의 기획과 디자인, 유통부분에 집중하고 생산은 원가 절감 및 생산성 향상 등을 목적으로 OEM(Original Equipment Manufacturing, 주문자상표부착생산)기업에 아웃소싱하고 있다. 품질과 납기, 규모의 경제를 통한 원가경쟁력을 확보하기 위해 의류 브랜드 기업과 OEM기업은 상호 긴밀한 관계를 형성하고 있다.

3) 낮은 진입장벽

일부 복종의 경우 자본이 진입장벽으로 작용하기도 하지만, 의류산업은 신규 진입이 상대적으로 용이하여 경쟁강도가 높은 편이다. 브랜드 차별화에 필요한 디자인 및 기획 분야의 핵심 인력이동이 잦은 편이며, 외주 생산구조로 인해 자체 설비투자 부담이 크지 않기 때문이다.

낮은 진입장벽으로 인해 국내 의류시장은 다수의 기업이 경쟁하는 완전경쟁체제를 보이고 있다. 최상위권 의류기업의 연매출이 1.5조원 내외이며 동 매출규모가 국내 패션시장에서 차지하는 비중이 3~4% 수준임을 감안하며, 상위권 의류기업의 시장지배력이 낮은 수준이다.

4) 소비자 지향 산업

소비자의 다양하고 개성 있는 생활양식과 욕구에 대응하는 것이 중요하며, 이에 따라 소비자와의 지속적인 관계를 잘 유지하는 CRM[18]업체가 성공을 하는 추세이다. 제품의 라이프사이클이 짧고 수요예측이 어려워 재고량이 사업성패의 주요 변수로 작용하기 때문에 외주 의존적으로 전환될 수밖에 없다. 소비자의 소득, 연령, 성별, 취향, 유행 등에 따라 세분화·전문화가 가능하며, 소비자 기호에 따라 다품종 소량생산을 전환하는 추세이다.

18) Customer Relationship Management의 약자로 우리말로는 '고객관계관리'라고 한다. 기업이 고객과 관련된 내외부 자료를 분석·통합해 고객 중심 자원을 극대화하고 이를 토대로 고객특성에 맞게 마케팅 활동을 계획·지원·평가하는 과정이다.

다. 산업 내 주요 경쟁요소

1) 브랜드 인지도

의류산업은 대표적인 브랜드산업으로 브랜드가 갖고 있는 고유한 이미지의 가치가 중요하며, 이에 따라 물리적 가치뿐만 아니라 심리적 효용가치가 더해져 부가가치가 높은 산업이다. 브랜드인지도가 높을 경우 제품 재구매율이 높은 고정 고객층을 확보하여 안정적인 매출기반과 수익성을 유지할 수 있고, 신규 또는 서브 브랜드를 런칭할 경우에도 기존브랜드의 인지도를 바탕으로 시장 진입이 용이한 장점이 있다. 또한 브랜드 인지도가 장기간에 걸쳐 확보된 경우 신규 브랜드 출시에 따른 마케팅 비용을 절감할 수도 있다.

브랜드의 수명은 유행에 대한 민감도, 연령층 등에 따라 복종별로 차이를 보이고 있다. 남성정장, 트래디셔널 캐주얼과 같이 유행에 덜 민감한 복종의 경우에는 브랜드 이미지 구축에 자금과 기간이 많이 소요되지만 브랜드가 시장에 안착할 경우 장수브랜드의 특성을 보인다. 반면, 유행에 민감한 여성복, 10대 대상의 캐주얼 복종은 상대적으로 고객 충성도가 낮아 브랜드 수명이 짧은 편이다.

2) 유통망 관리 능력

판매를 위한 유통망은 의류산업에서 중요한 경쟁요소 중 하나이다. 유통망은 판매가 이루어지는 장소 일뿐만 아니라 유통망이 갖고 있는 외적인 요소에 의해서도 브랜드 이미지에 미치는 영향이 크기 때문이다. 의류 유통망은 앞서 본 것처럼 직영/대리점의 전문소매점과 백화점, 대형마트, 홈쇼핑, 인터넷쇼핑몰 등으로 이루어져 있다. 이 중 브랜드 이미지를 통한 고부가가치는 백화점, 전문소매점, 대형마트, 홈쇼핑, 인터넷쇼핑몰 순으로 창출되는 것으로 판단된다.

다만 경기에 민감한 소비자의 의류구매 행태와 재고 부담을 줄이려는 의류기업의 이해관계가 맞물리면서 할인판매 중심의 대형마트, 대량판매가 가능한 홈쇼핑, 접근성이 높은 온라인 오픈마켓 또는 브랜드기업의 자체 온라인몰 등 무점포채널의 판매비중이 높아지고 있으며, 고가 브랜드 위주의 백화점과 집객력이 약한 전문소매점이 비중이 낮아지는 추세이다.

3) 재고관리 능력

기획 및 수요예측 실패 시 재고 부담을 가지며, 제품이 유행에 민감하고 라이프사이클이 짧아 재고처리 부담이 높다. 적당한 재고는 필요하지만 현재 국내 패션시장의 현실은 적정 재고 수준을 넘어선 기업이 태반이다. 재고이월재고는 할인판매 등을 통해 처분되는데 과도한 할인판매 정책은 브랜드이미지에 부정적인 영향을 미치게 된다. 이에 연간 수요 상황에 대한 예측이 필요하며, 차별화된 재고 및 유통채널 관리 능력이 경쟁지위 평가에 있어 중요한 변수로 작용하고 있다.

한편, 재고처리는 리테일 아웃렛, 대리점, 자체 온라인몰 등을 통해 이뤄지며, 적절한 가격인하 시기와 폭을 선정하여 재고물량을 줄이는 것이 중요하다. 너무 늦은 가격인하는 재고물량을 충분히 줄이지 못하고 악성재고를 만드는 결과를 초래한다. 이러한 악순환 구조가 계속되면 한국 패션시장은 가장 큰 경쟁력인 '속도'를 잃게 된다. 트렌드를 누구보다 빠르게 제안하는 능력이 한국패션의 최대 강점이었는데, 누적된 재고가 발목을 잡고 있는 것이다. 경제성장률 2%대를 논하는 지금과 같은 저성장 시대에는 비효율을 제거하고 발 빠른 트렌드와 합리적인 가격대 제시로 소비자들의 발길을 끌어당겨야 한다.

현재 국내 의류 기업들의 연간 재고자산회전율은 2~5회전 수준을 보이고 있는데, 원단을 미리 비축해 놓고 판매동향에 따라 다양한 품목의 빠른 공급을 차별화된 전략으로 내세우는 SPA업체들의 경우 재고 회전이 매우 빠르다. 이들의 연간 재고자산 회전율은 12~24회 범위에 위치하며, 과잉생산 부담이 적고 직영점 위주로 유통망을 관리하여 빠르고 효율적인 재고관리가 가능한 점이 장점이다.

자라 리테일 코리아가 좋은 사례인데, 자라는 2016년 결산 실적(회계연도 1월)을 들여다보면 매출 3450억 원에 재고자산은 152억 원에 불과하다. 재고자산회전율[19]을 보면 24.9회전으로 2015년도 재고자산회전율 23.3회전을 뛰어넘었다. 이는 한 달에 두 번 꼴로 매장에 입고된 재고가 전량 팔려 나간 셈인데, 현재까지도 비슷한 수준을 유지하고 있다.

19) 재고자산회전율 : 매출액을 재고 자산으로 나눈 것으로 재고 자산의 회전 속도, 즉 재고 자산이 당좌 자산으로 변화하는 속도를 나타낸다. 재고자산회전율이 높다는 것은 쉽게 말해 재고가 창고에 들어오기 무섭게 판매된다는 것을 의미하고, 재고자산회전율이 낮다는 것은 판매가 부진해 창고에 오랫동안 재고 자산이 쌓여 있는 것을 의미한다. 일반적으로 이 비율이 높을수록 자본수익률이 높아지고 매입채무가 감소하며 상품의 재고 손실을 막을 수 있고 보험료 · 보관료를 절약할 수 있다. 그러나 지나치게 높을 경우는 원재료 및 제품 등의 부족으로 계속적인 생산 및 판매 활동에 지장을 초래할 수도 있다.

3

산업 현황

3. 산업 현황

의류 산업은 정의에서 살펴보았듯이 원부자재 생산, 의류제품 생산, 유통 판매 등 복합적인 산업구조를 가지고 있다. 구체적으로 원료섬유의 제조(Up-Stream)→직물제조 및 염색·가공(Mid-Stream)→의류 및 섬유 제조(Down-stream)등의 단계적 Stream 구조를 지닌다. 이에 따라, 실 방적업자, 섬유 제조업자, 원단과 부자재 제조업자, 원단 염색업자, 프린트업자 및 가공업자, 의류 제조업자, 소매상 등 다양한 업체가 관여한다.

의류 산업은 원사단계에서 시작하여 방적·방직 단계를 거쳐 원단(1차 제품)이 생산되어, 어패럴 제조업체에서 완제품(2차 제품)으로 만들어지기까지를 '생산스트림'라 정의하고, 도매상·소매상을 거쳐 소비자에 이르기까지를 '유통스트림'이라 정의한다.

생산스트림에는 섬유제품 제조업 중에서 원료와 원사 생산기업들이 활동하는 업스트림, 업스트림의 자재를 활용하여 제직 및 염색 등 가공을 하는 생산기업들이 활동하는 미들스트림, 미들스트림의 소재로 봉제생산을 하는 다운스트림으로 구성된다. 이들 생산스트림은 산업과 산업과의 거래가 일어나는 산업재 마케팅을 가진 Network 구조인 반면, 의류유통이 중심이 되는 유통스트림은 산업과 소비자 간 거래가 일어나는 소비재 마케팅을 가진 Network구조를 가진다.

현재 의류산업은 기획·유통 등에 집중하여 외주생산 및 프로모션업체를 통한 완사입, 하청업체인 중소업체들은 주로 봉제부문만을 담당하고 있다.[20] 본 장에서는 가치사슬별로 산업현황을 다뤄볼 것이다.

20) <2016년 의류산업 경쟁력 조사>, 산업통상자원부 무역위원회 중소기업연구원(2016.02)

가. 패션디자인 산업 현황

2021 전국사업체조사 현황에 따르면, 모집단으로 추정되는 기업으로서 '디자인 활용 기업'의 수는 147,595곳으로 전체 산업 기준의 39.9% 이며, 디자인 활용률은 전년 2019년 37.1%에서 39.9%로 상승하였다.

디자인 기업들의 규모는 종사자수 5~9인 미만에 해당하는 영세한 규모가 다수를 이루고 있다.

<표Ⅲ-13> 디자인활용업체 사업체 수 (디자인활용업체 모집단 크기)

대분류 업종	종사자 규모						
	5-9인	10-19인	20-49인	50-99인	100-299인	300인 이상	계
총계	76,961	37,502	21,191	7,004	3,929	1,008	147,595
제품 디자인	9,239	4,458	3,116	1,207	718	190	18,928
시각 디자인	5,902	1,957	1,385	503	261	52	10,061
디지털/멀티미디어 디자인	2,122	1,460	825	291	179	38	4,916
공간 디자인	16,242	8,181	3,999	1,194	702	217	30,535
패션/텍스타일 디자인	3,745	1,126	539	167	63	12	5,653
서비스/경험 디자인	10,357	7,787	4,424	1,563	886	211	25,227
산업공예 디자인	3,621	1,178	702	140	65	7	5,713
디자인 인프라(디자인기반기술)	25,732	11,356	6,201	1,938	1,054	280	46,562

※ 2020년 기준 일반업체 대상 디자인 활용 여부 조사 결과를 반영한 사업체 수
(가중치를 반영한 결과로 소수점 첫째 자리에서 반올림하여 라운드 에러(Round Error)가 있을 수 있음)

[그림 23] 디자인활용업체 사업체 수 / 디자인산업통계조사

21)

22)

21) 자료: 통계청, 한국통계진흥원(2021), 2021 디자인산업통계조사에서 발췌 및 가공
22) 자료: 통계청, 한국통계진흥원(2021), 2021 디자인산업통계조사에서 발췌 및 가공

• 디자인 활용업체의 규모를 통해 본 2020 디자인 산업규모는 19조 4,244억 원이다.
• 전체 규모 중 디자인활용업체의 산업 규모가 70% 이상의 큰 비중을 보이고 있으며, 2019년 대비 프리랜서 디자이너 산업의 성장(1.04조 원 → 1.44조 원)이 뚜렷하게 나타난다.
23)

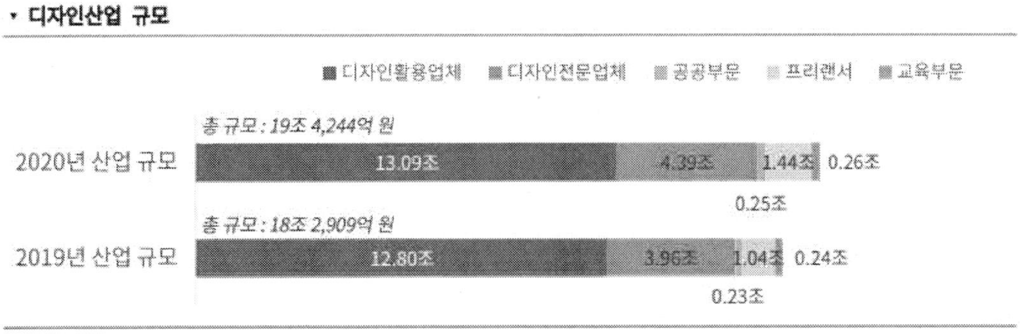

그림 24 디자인산업 규모

디자인활용업체 디자인산업 규모 (단위 : 개, 백만 원)

구분		2019년 디자인 활용 업체 수	2019년 평균 디자인 투자금액	2019년 산업 규모	2020년 디자인 활용 업체 수	2020년 평균 디자인 투자금액	2020년 산업 규모	전년 대비 증감률
산업분류별	제품 디자인	17,069	165.72	2,828,726	18,928	147.43	2,790,575	-.3%
	시각 디자인	9,963	156.98	1,563,918	10,061	150.58	1,515,006	-3.1%
	디지털/멀티미디어 디자인	4,470	139.91	625,449	4,916	142.94	702,634	12.3%
	공간 디자인	25,704	83.94	2,157,702	30,535	78.51	2,397,195	11.1%
	패션/텍스타일 디자인	5,055	109.57	553,914	5,653	98.90	559,047	0.9%
	서비스/경험 디자인	29,372	78.41	2,303,196	25,227	92.03	2,321,731	0.8%
	산업공예 디자인	5,038	52.00	261,956	5,713	52.47	299,751	14.4%
	디자인인프라	45,300	55.48	2,513,401	46,562	53.69	2,499,739	-0.5%
규모별	소기업	111,256	57.90	6,441,470	113,093	60.87	6,884,256	6.9%
	중기업	28,203	141.94	4,003,179	32,036	120.92	3,873,884	-3.2%
	중견기업	1,451	705.91	1,024,305	1,507	570.65	860,249	-16.0%
	대기업	1,062	1,260.89	1,339,308	958	1,531.07	1,467,289	9.6%
전체		**141,971**	**90.22**	**12,808,262**	**147,595**	**88.66**	**13,085,678**	**2.2%**

그림 25 디자인활용업체 디자인산업 규모

• 산업 규모는 제품 디자인이 가장크고, 디자인인프라, 서비스/경험 디자인, 공간 디자인 등의 순서이다. 사업체 규모가 클수록 평균 디자인 투자금액이 높은 것으로 나타난다.

23) 자료: 통계청, 한국통계진흥원(2021), 2021 디자인산업통계조사에서 발췌 및 가공

• 2020년 디자인 활용업체 인력 규모는 350,835명이다.
• 디자인 인력 규모는 디자인활용업체의 디자이너 수 268,176명, 디자인전문업체 디자이너 수 17,217명, 공공부문 디자인 전담부서 직원 수 588명, 프리랜서 62,516명, 디자인계열 대학 교원 수 2,337명의 합으로 추정하였다.

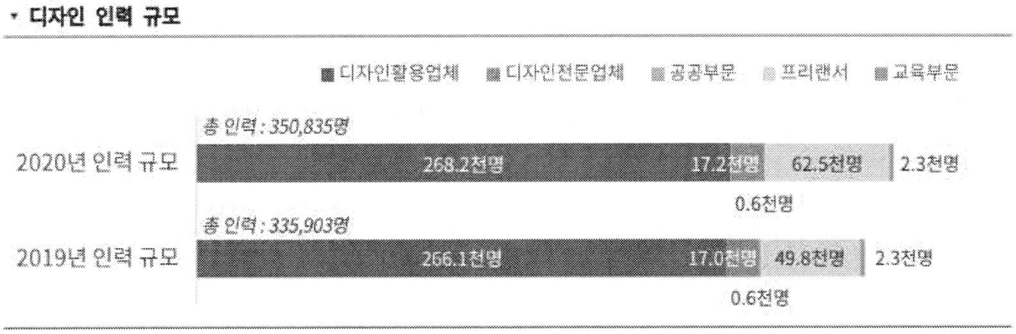

그림 26 디자인 인력 규모
24)

▾ **디자인활용업체 디자인 인력** (단위 : 명)

구분		2019년			2020년			전년 대비 증감률
		고용업체 평균 디자이너 수	활용업체 평균 디자이너 수	인력 규모	고용업체 평균 디자이너 수	활용업체 평균 디자이너 수	인력 규모	
산업분류별	제품 디자인	3.23	2.62	40,311	3.47	2.10	39,698	-1.5%
	시각 디자인	2.94	2.52	23,932	2.82	2.22	22,296	-6.8%
	디지털/멀티미디어 디자인	3.31	2.69	13,753	3.57	3.29	16,183	17.7%
	공간 디자인	3.22	2.30	56,359	2.85	1.94	59,164	5.0%
	패션/텍스타일 디자인	2.92	2.46	12,958	2.51	2.26	12,786	-1.3%
	서비스/경험 디자인	2.46	1.88	51,097	3.88	2.07	52,148	2.1%
	산업공예 디자인	1.79	1.48	7,591	1.87	1.36	7,748	2.1%
	디자인인프라	1.67	1.40	60,075	2.36	1.25	58,153	-3.2%
규모별	소기업	1.83	1.39	154,320	2.22	1.37	155,204	0.6%
	중기업	3.63	2.80	79,006	3.93	2.52	80,572	2.0%
	중견기업	15.72	11.82	17,152	12.59	9.63	14,518	-15.4%
	대기업	33.86	14.68	15,596	55.84	18.66	17,882	14.7%
전체		**2.47**	**1.87**	**266,075**	**2.92**	**1.82**	**268,176**	**0.8%**

그림 27 디자인활용업체 디자인 인력

• 업종별 디자인 인력은 공간 디자인, 디자인인프라 등의 순으로 높다.
• 규모별 평균 디자인 인력은 대기업이 18.66명으로 가장 높고, 소기업은 1.37명으로 나타난다.

24) 자료: 통계청, 한국통계진흥원(2021), 2021 디자인산업통계조사에서 발췌 및 가공

• 디자인전문업체 산업 규모는 4조 3,897억 원으로 전년 대비 10.7% 증가하였다. 한편, 디자인전문업체 사업체 수는 7,229개로 2019년(6,264.개) 대비 15.4% 증가하였으며, 업종별로는 인테리어 디자인의 사업체 수가 크게 증가하였다.(1,613개 → 2,115개)

• 업종별 산업 규모 역시 인테리어 디자인(2조 92억 원)이 가장 높다.

▾ **디자인전문업체 디자인산업 규모** (단위 : 개, 백만 원)

구분		2019년			2020년			전년 대비 증감률
		디자인 전문 업체 수	평균 매출액	산업 규모	디자인 전문 업체 수	평균 매출액	산업 규모	
업종별	제품 디자인	1,437	706.52	1,015,276	1,581	581.26	918,971	9.5%
	시각 디자인	2,346	419.97	985,244	2,627	353.38	928,340	-5.8%
	인테리어 디자인	1,613	883.14	1,424,502	2,115	949.98	2,009,206	41.0%
	패션, 섬유류 및 기타 디자인	868	619.51	537,737	906	588.52	533,195	-0.8%
전체		**6,264**	**632.62**	**3,962,759**	**7,229**	**607.24**	**4,389,712**	**10.8%**

그림 28 디자인전문업체 디자인산업 규모

• 디자인전문업체 디자인 인력은 17,217명(사업체별 평균 디자이너 수 2.38명)으로 추정된다.

• 전문업체 사업체 수의 증가에도 디자인 인력은 1.1% 증가한 것으로 나타난다.

• 인테리어 디자인(3,768명 → 4,663명)을 제외한 모든 업종의 디자인 인력이 감소하였다..

패션/텍스타일 디자인의 경제적 가치는 디자이너의 창조적 작업을 통해 생산되는 패션 디자인이 기존의 섬유 생산의 효율에 기초한 수출 및 내수 시장의 한계를 극복하고 부가가치를 높이는데 크게 기여할 수 있음을 잘 보여준다.

비록 현재 다소 영세한 사업구조가 다수를 이루고 있지만, 이들 전문기업이 중견기업으로 성장해 나가는 과정에서 패션 디자인 활용 산업 전반에 미치는 경제적 가치는 매우 높을 것이라고 예상할 수 있다. 따라서 디자인 관점에서 패션 디자인 전문기업의 성장을 어떻게 이끌어낼 수 있을 것인지에 대한 정책적 판단과 지원이 필요하다고 할 수 있다.

나. 패션 유통산업 동향

1) 4차 산업혁명 시대의 유통업 키워드

가) 벨류체인

4차 산업혁명 시대에는 유통정보에 대한 접근성 향상 및 유통 지원 서비스업의 발전으로 유통단계가 축소될 것이다. 유통산업에서는 일반적으로 상품은 5~7단계에 걸쳐 제조사(생산자)에서 소비자에게 전달된다. 단계별로 특화된 거래 정보 체계, 결제 환경, 배송 네트워크 등이 구축되어 있어 이러한 유통거래 방식이 오래 지속되어 왔다.

앞으로 다가오는 4차 산업혁명 시대에는 유통정보에 대한 접근성이 향상되고 결제·배송 등 유통 지원 서비스가 발전하면서 거래 당사자들 간 직접 거래할 수 있는 유통환경이 조성될 것으로 보인다. 예를 들면, 소비자가 국내 소매업 등을 이용하지 않고 해외 판매자로부터 직접 구매하는 '직구(해외 직접 구매)'가 대표적이다. 국내외 소비자의 경우 해외직구 규모를 살펴보면 2020년 3/4분기 9,145억 원으로 전년대비 27% 성장하였고, 패션제품 거래비중도 2020년 3/4분기 전체 상품거래액에서 38.1%를 차지하는 등 높은 비중을 차지하고 있다.

< 상품군별 온라인쇼핑 거래액 >

(억원, %)

	2019년 2/4	2020년 1/4	2020년 2/4p	전분기비	전년동분기비	구성비
○ 합 계	**325,293**	**368,927**	**374,617**	**1.5**	**15.2**	**100.0**
- 가 전	**49,711**	**58,857**	**63,151**	**7.3**	**27.0**	**16.9**
· 컴퓨터 및 주변기기	12,905	18,544	17,704	-4.5	37.2	4.7
· 가전·전자·통신기기	36,806	40,313	45,448	12.7	23.5	12.1
- 도 서	**6,266**	**8,870**	**8,034**	**-9.4**	**28.2**	**2.1**
· 서적	4,061	6,192	5,484	-11.4	35.0	1.5
· 사무·문구	2,205	2,679	2,550	-4.8	15.7	0.7
- 패 션	**104,136**	**101,332**	**112,312**	**10.8**	**7.9**	**30.0**
· 의복	35,582	31,834	38,560	21.1	8.4	10.3
· 신발	5,589	5,115	6,836	33.7	22.3	1.8
· 가방	6,394	6,209	6,464	4.1	1.1	1.7
· 패션용품 및 액세서리	6,545	5,656	5,534	-2.2	-15.4	1.5
· 스포츠·레저용품	11,138	9,433	14,058	49.0	26.2	3.8
· 화장품	28,948	31,586	28,840	-8.7	-0.4	7.7
· 아동·유아용품	9,940	11,499	12,019	4.5	20.9	3.2

[25] 상품군별 온라인쇼핑 거래액

25) 2018년 한국패션 소비자 시장규모, 한국섬유산업연합회, 2018.2분기

온라인·플랫폼 서비스 이용환경이 발전하면서 소비자가 공구(공동구매) 플랫폼 등을 통해 도매업자, 또는 제조업자로부터 직접 구매하는 직거래도 확대되었다. 소매업자가 직접 해외 제조업체 물건을 직수입하는 등 도매업체를 통하지 않고 구매하는 사례도 증가하고 있다.

< 상품군별 온라인 해외 직접 구매액 구성비 >

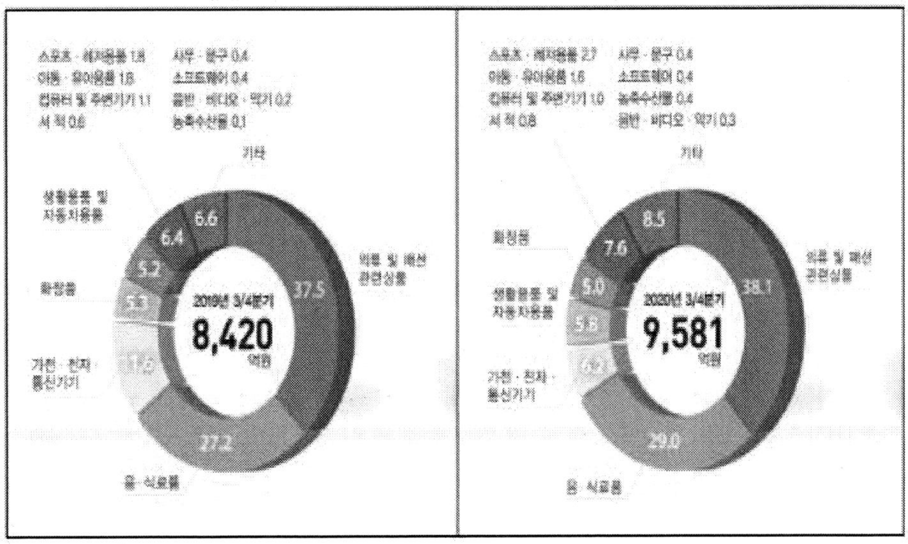

26)

그림 30 상품군별 온라인 해외 직접 구매액 구성비

나) 유통 채널

정보통신 기술의 발전으로 유통 채널이 오프라인에서 온라인, 모바일로 확장되고 있다. 전 세계적으로 전자상거래 시장이 확대되고 있으며 국내 온라인 쇼핑몰 거래액도 2020년 11월 온라인 쇼핑 거래액은 15조 631억원으로 전년동월대비 17.2% 증가하였으며, 온라인 쇼핑 중 모바일 쇼핑 거래액은 10조 2,598억원으로 21.9% 증가하였다. 스마트폰의 등장으로 온라인 소비의 시간적·공간적 제약이 더욱 완화되면서 모바일 쇼핑이 온라인 쇼핑 성장을 견인시키고 있다, 대형마트 등 오프라인 유통업체도 성장 둔화 극복을 위해 온라인 채널을 확대하고 있는 추세이다.

---

26) 자료: 통계청(2020), 2020 6월 온라인

온라인 쇼핑의 확대 및 오프라인 업체의 온라인 시장 진입 등으로 온·오프라인 쇼핑의 경계가 모호해지면서 온·오프라인을 넘나드는 쇼핑 형태인 크로스 쇼퍼가 증가하고 있다. 매장에서는 상품만 확인하고 구매는 온라인에서 하는 쇼루밍(showrooming), 온라인에서 본 상품을 오프라인에서 구매하는 역 쇼루밍, 필요에 따라 온·오프라인을 동시에 활용하는 옴니 채널 쇼핑 등 다양한 유형이 존재하고 있다.

국내외 전체 소비자 중 크로스 쇼퍼의 비중은 60~70% 수준으로 조사되며, 크로스 쇼핑의 장점으로 인해 향후 더욱 확산될 전망이다. 전체 소비자 중 크로스 쇼퍼 비중(2015년 기준)은 해외 73% (자료: 하버드 비즈니스 리뷰), 국내 66%(자료 :카타월드패널)이다.

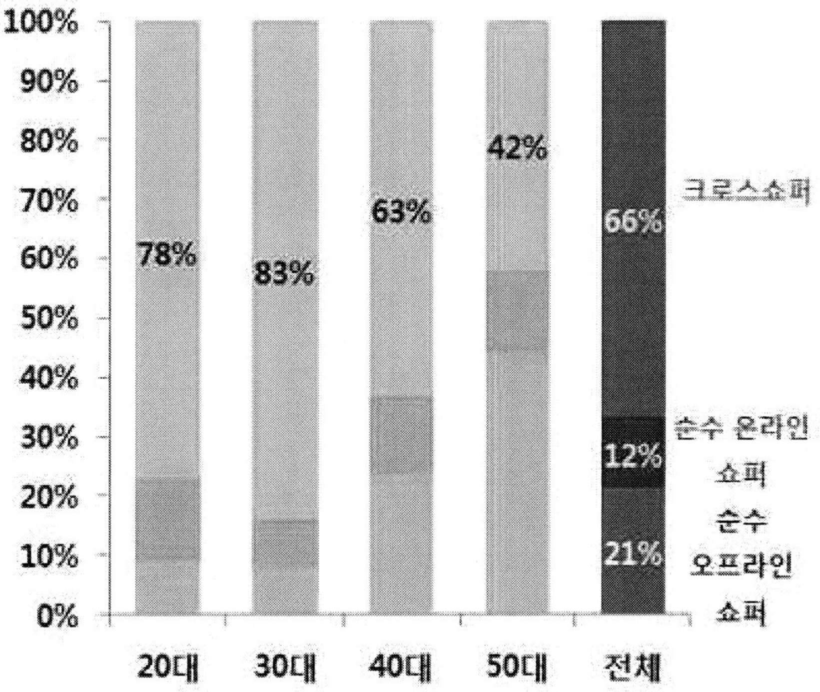

27)

그림 31 연령대별 크로스쇼퍼 비중

대한상공회의소 자료에 따르면 크로스쇼핑의 장점으로 가격에 대한 만족이 47.8%로 가장 높았으며, 품질에 대한 만족(26.1%)', '다양한 상품 비교(22.4%)', '세부 필요사항 충족(3.0%)'순으로 조사되었다.

27) 자료: 카타월드패널(2015)/주:국내 1,000가구를 대상으로 조사한 결과.

패션전문지 패션채널의 패션 CEO를 대상으로 한 설문에 따르면, 2016년 패션 산업의 주요 키워드로 '모바일'이 전체 응답자의 30%, 온·오프라인 연계쇼핑이 가능한 '옴니채널'이 22%를 차지하며 온라인 커머스에 대한 업계인식은 매우 높은 편이다.

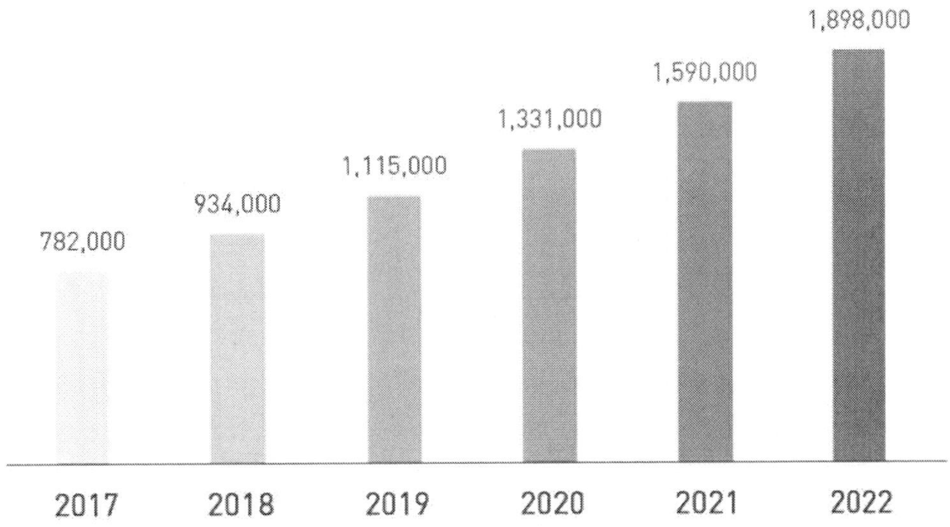

28)

그림 32 온라인 쇼핑 시장 전망(단위: 억 원)

롯데는 옴니 채널을 내세운 '스마트픽' 서비스를 구축한데 이어 향후 이보다 진화한 '리버스 픽업'시스템을 도입한다고 밝혔는데 이는 고객이 구입한 상품을 계열사 오프라인 매장에서 반품할 수 있는 서비스로, 롯데는 이를 통해 고객들이 온라인과 오프라인에서 느끼는 불편함을 해소시키고 채널 간 경계가 없는 장점을 결합한 '미래 유통 시스템'을 선보인다는 전략이다.

다) 상품관리

최근 시장에서 판매되는 상품 품목이 다양해지고 상품정보가 과잉 제공되면서 소비자의 구매 결정이 어려워졌다. 소비의 개인화, 유통기업의 대형화, 온라인 쇼핑몰의 확산 등에 따라 선택 가능한 상품 품목수가 급증하고 원하는 상품을 찾기 위한 소비자의 노력 투입이 증가하는 것이다. Criteo에 따르면 온라인 소비자가 가전제품을 구매하기 위해서는 최초로 검색을 한 날부터 구매까지 10일 정도 걸리며 19개의 상품을 비교 검색하는 것으로 조사되었다.

28) 온라인 마케팅 동향 리포트 쇼핑몰, 에이스트레이더, 2018.12.06.

이처럼 소비자의 구매 피로도가 높아지면서 반대로 소규모 매장에서 제한적인 상품만을 판매하여 구매의 수고를 덜어주는 편의점 등이 인기 있을 것으로 예상된다. 이에 인공지능과 빅데이터 등 정보통신기술을 활용해 소비자가 필요로 하는 상품을 적시적소에 제공하는 상품관리 방식이 확산될 것으로 보인다.

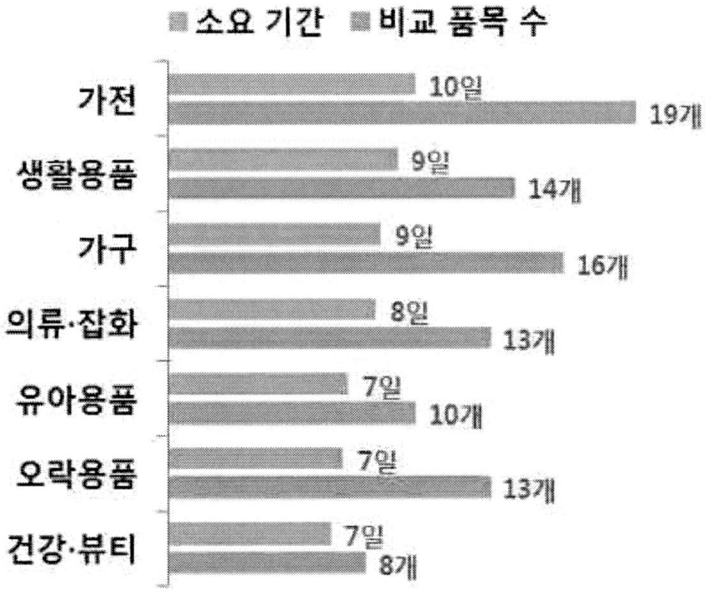

29)

그림 33 상품별 구매결정 소요기간 및 비교 품목 수

아마존은 빅데이터 분석으로 소비자의 소비 패턴을 파악해 구매 가능성이 높은 물건을 해당 지역 물류창고에 미리 가져다두는 '예측배송' 서비스를 도입했다. 미국 유통업 전문 조사기관인 BRP(Boston Retail Partners)가 미 유통기업들을 대상으로 조사한 결과에 따르면 40%이상의 기업들이 쇼핑을 도와주는 챗봇(Chatbot)이나 인공지능 비서 등 인공지능 기술을 도입했거나 3년 이내로 도입할 계획을 가지고 있다고 한다.

29) 자료 : Criteo(2016)/주 : 구매결정 소요기간이란 소비자가 구매를 목적으로 하는 상품을 최초 검색한 날부터 최종 구매한 날까지 기간.

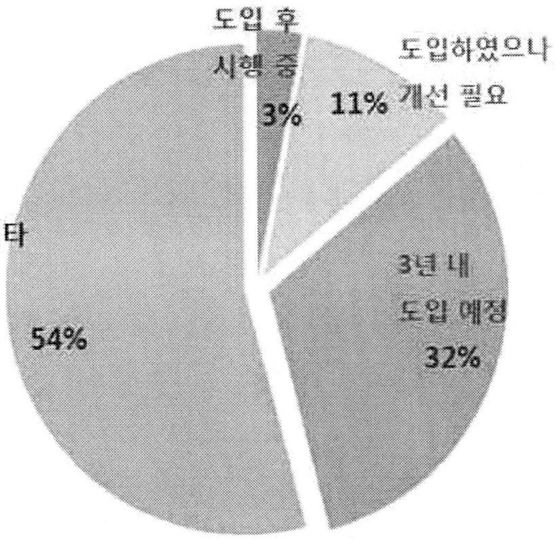

30)

그림 34 해외 유통기업의 인공지능 도입 현황

라) 판매촉진

모바일 기기의 확산에 따라 소비자들이 디지털 기술이 제공하는 즉각적·맞춤형 서비스에 익숙해지면서 개인화되는 소비행태가 보다 강화되고 있다. 일례로 상당수 소비자들이 관심사와 무관한 광고, 이미 구입한 제품에 대한 광고 등 개인의 특성을 무시한 광고에 대해 거부감을 표시한다는 연구결과를 보면 알 수 있다.

이러한 변화를 반영하여 빅데이터, 위치기반 기술 등을 활용한 고객 맞춤형 판매촉진 활동이 활성화되고 있다. 유통업의 주요 마케팅 채널이 전통적인 매스미디어에서 벗어나 소셜 미디어, 온라인 동영상 채널로 중심이 이동하고 있는데, 기업들은 소비자와의 접점 확대 및 소통 효율 제고를 위해 소셜미디어, 온라인 동영상 채널을 구축하기 위해 활발히 추진 중이다. 이는 개인의 취향이 중요한 의류산업에서 더욱 더 반영될 것이다.

30) 자료 : Boston Retail Partners(2017)

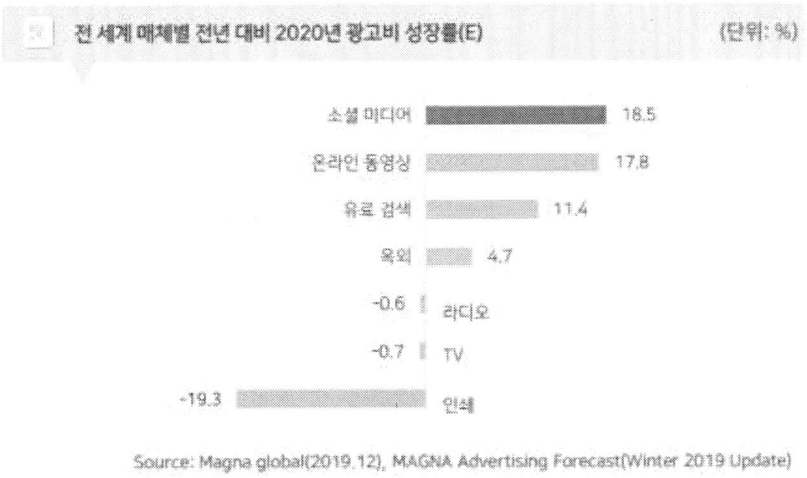

31)

그림 35 전 세계 매체별 전년 대비 2020년 광고비 성장률

한편 오프라인 점포는 위치기반 기술 등을 활용하여 소비자가 매장에 들어서면 매장 행사 정보나 상품의 할인 쿠폰 등 맞춤형 서비스를 제공하고 있다. BRP의 조사에 따르면 유통기업의 상당수가 고객 인식을 위해 WiFi(59%), 모바일사이트(68%), NFC(51%), 비콘(38%) 을 활용하고 있거나 관련시스템을 도입할 계획을 가지고 있는 것으로 분석된다. 의류회사인 스티치픽스(Stitch Fix)는 인공지능 및 빅데이터 분석을 이용해 개별 고객의 취향과 필요에 맞춘 상품을 제안하고 있다.

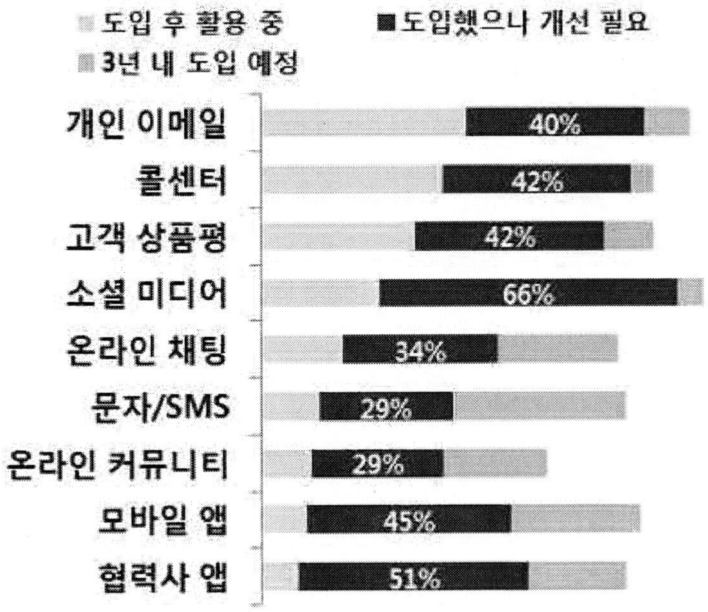

그림 36 유통기업의 소비자 소통 채널 도입 현황
32)

31) 자료 : magna global(2019.12), MAGNA Advertising Forecast(winter 2019 update)
32) 자료 : Boston Retail Partners

2) 유통채널별 특징과 현황

의류는 백화점, 마트, 온라인 쇼핑몰 할 것 없이 유통업계에서 큰 비중을 차지하는 중요 카테고리이다. 하지만 같은 브랜드의 동일 모델이라도 구매처에 따라 가격은 달라진다. 백화점에서 30만 원대에 구매한 제품을 아웃렛에서는 20만 원대, 온라인몰 브랜드관에서는 10만 원대에, 등산로 입구 로드샵에서는 10만원 균일가에 살 수도 있다. 이 같은 상황이 발생하는 것은 의류의 경우 재고비중이 높은 독특한 유통구조를 갖고 있기 때문이다.

브랜드 의류 유통구조는 크게 1차 시장과 2차 시장으로 나뉜다. 1차 시장은 제조업체에서 당해 시즌용으로 생산한 신상품이 바로 진열·판매되는 시장으로 대리점, 백화점, 대형마트가 포진해있다. 정상가로 약 30%의 물량을 소화하며 할인판매(30~40%)를 포함해 내수 출하량의 약 60~70%가 판매된다. 2차 시장은 이른바 재고 시장을 말한다. 1차 시장에서 판매되고 남은 물량은 다음 시즌 이후에 아웃렛, 홈쇼핑, 인터넷쇼핑몰 등을 통해 판매한다. 출시 1년 미만의 상품을 보통 30~50% 할인된 가격으로 판매해 내수 출하량의 약 15%를 소진하는 것으로 추정되고 있다. 2차 시장에서도 팔리지 않은 재고는 제 3국 수출, 덤핑 판매, 사회복지단체 기부, 소각 등의 방법으로 처리된다.

유통단계	경로	할인율	누적판매율(추가판매율)
1차 시장	백화점	정상가격 판매	30%
	대리점	20~30%	60~70%(30~0%)
	대형마트		
2차 시장 (재고시장)	아웃렛	1단계:30~50%	75~85%(15%)
	홈쇼핑	2단계:50~80%	85~95%(10%)
	인터넷쇼핑	3단계:80~90%	90~98%(3~5%)
기타처리	사회복지단체 기부		100%(2~10%)
	제3국 수출		
	땡처리		
	소각		

표 20 브랜드 의류 유통 단계와 경로

각각의 유통채널별로 다른 특징을 가지고 있기 때문에 기업 입장에서는 유통전략 변

화가 수익을 꾀할 수 있는 수익창출전략 방안이 될 수 있다. 본 장에서는 어떠한 유통채널이 형성되어 있고 각각의 특징은 무엇인지 살펴볼 것이다.

가) 백화점

백화점은 대표적인 패션 유통채널로 오랜 시간 동안 각광받아 왔으나, 최근 소비자 구매 행태 변화와 다양한 대체 채널로 인해 점차 입지가 약화되고 있다. 특히, 소위 빅 3라고 하는 롯데, 신세계, 현대 등의 프렌차이즈 백화점의 경우, 동일한 브랜드, 동일한 할인폭 등으로 백화점 간의 차별화 문제가 대두되면서, 백화점을 떠나는 의류 브랜드가 증가하고 있다. 이에 따라 자체 채널에서만 판매하는 이른바 '온리(Only)'상품 기획 혹은 자체 PB 생산, 자체 편집샵 운영 등의 다양한 전략을 사용해왔으나, 결과적으로 큰 효과를 거두지 못했다.

2017년 기준 패션업체의 주 유통채널인 백화점 3사(롯데, 현대, 신세계)의 합산 매출액은 전년 동월 대비 1.3% 역신장하며 2분기에 이어 감소세가 이어지며 , 백화점 매출 자체가 부진한 상태에서 높은 판매 수수료(대형사 평균 35%)는 패션기업에게 임차료 등 고정비에서 가장 큰 부담요인이다. 일본 백화점에서 유래하여 정착된 '특정 매입' 즉, '위탁 판매(Consignment)형태는 정상 판매 수수료 30~40%, 행사판매 수수료 20~30%는 입점 브랜드의 부담이며, 이는 브랜드 원가에 반영되어 전체적인 소비자가 상승 및 판매 부진의 악순환으로 정착되어 왔다.

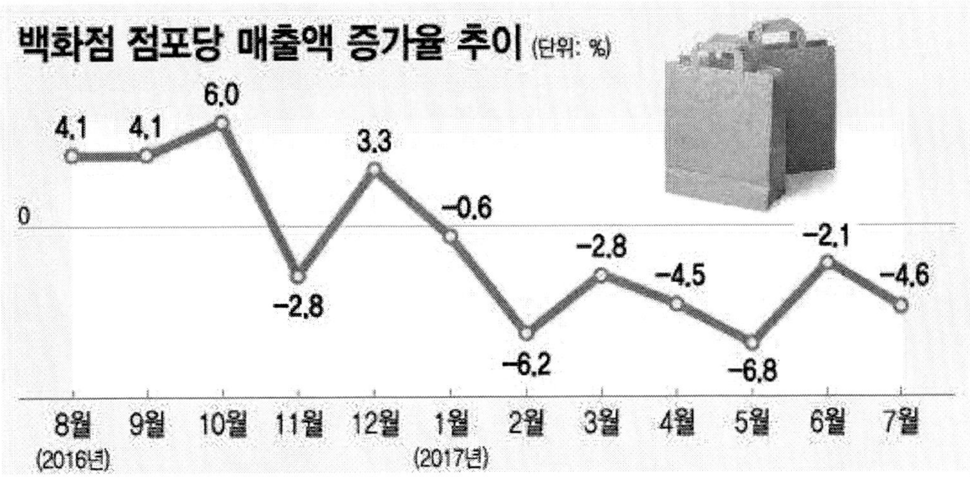

33)

그림 37 백화점 점포당 매출액 증가율 추이

백화점 입점은 정기적인 MD개편 시기에 기존 행사경험 브랜드를 신규 브랜드 대상으

33) 산업통상자원부, 2017

로 입점을 고려하는 방식이므로, 공식적인 행사 외에 다양한 형태로 백화점 매입 담당자와 관계를 설정하고 지속적인 소통을 유지하는 것이 중요하다.

최근 백화점 그룹은 홈쇼핑 및 온라인·모바일 채널을 통한 패션제품 판매 비중이 상당히 높아지는 추세이므로, 리뉴얼을 통해 패션 부문 비중을 줄이고 F&B 중심으로 구성하여 기존 고객의 이탈을 방지하는 전략을 선택해 점차 패션 브랜드의 입지는 좁아진 상황이다.

거기다 백화점의 높은 수수료는 의류업체들이 큰 부담을 가질 수밖에 없다. 2018년 중소기업중앙회가 백화점과 대형마트에 납품하는 중소기업 500개사를 대상으로 설문조사를 한 결과, 국내 백화점업체들은 납품업체를 상대로 매출액의 29.4% 정도의 판매 수수료를 챙기고 있는 것으로 조사됐다.[34] 업계 전문가들은 백화점들이 의류업체에 높은 수수료를 책정하는 원인에 대해 입점 당시 경쟁률이 높았다는 점을 꼽았는데, 이러한 경쟁률은 백화점으로 하여금 높은 수수료 책정의 빌미가 된 것이다. 그동안 백화점에 입점한 의류 업체들은 울며 겨자 먹기 식으로 높은 수수료를 내야만 했다.

따라서 몇몇 중저가 의류 업체들은 백화점 소비가 둔화되는 점과 수익 대비 수수료 부담으로 인해 백화점을 떠나고 있는 것으로 나타났다. 수수료를 감당할 수 있는 고가 브랜드와 달리 중저가 브랜드들은 SPA와의 경쟁, 온라인 유통망 등을 이유로 백화점 안에서 높은 수익을 내기 힘든 것이다.

하지만, 전통적으로 패션 부문이 중요했던 백화점 유통 채널의 특성상, 백화점은 전체적인 숫자가 감소한다 하더라도 고급 지향의 패션 소비자 DB를 확보하고 있고, F&B를 통해 유입되는 고정 고객들은 여전히 패션 브랜드에 대해 관심을 가지는 등 브랜드에게는 여전히 필수적인 유통채널이라고 할 수 있다.

나) 가두점(직영 대리점 및 편집 매장)

가두점은 물리적인 개념으로는 시내 중심가 혹은 패션 전문가에 있는 매장이라고 말할 수 있고, 패션 유통 채널적인 개념에서는 본사 운영의 직영점과 위탁 대리점으로 구분한다.

또한 기존 단독 브랜드의 단독 매장의 형태에서 패션기업의 자사 브랜드로 구성한 종

---

34) 중소기업“백화점 판매 수수료는 42%, 대형마트마진율은62%, 한국일보, 2018.3.29.

합 매장(세정 '웰메이드' 등)에서 자사 브랜드 및 타사 브랜드까지 구성하는 편집숍의 형태로 발전되어 가는 추세이다.

국내에서는 의류제품 수출 중심 구조에서 파생된 다양한 보세 제품을 판매하던 가두점이 편집숍의 시초라고 볼 수 있고, 이후 명동에서 매장을 브랜딩한 빌리지(Village) 등이 패션 편집숍의 본격적인 시작이라고 할 수 있다.

일본은 이와 같은 편집숍 형태가 우리와 비슷한 개념으로 훨씬 더 일찍 시작되어 유나이티드 애로우즈(United Arrows), 빔즈(Beams), 쉽스(Ship's) 등 감각적이고 전형적인 편집숍이 태생하여 다양한 감성을 요구하는 소비자의 요구를 채워주며 발전했다.

국내에서도 2010년을 기점으로 에어랜드, 어라운드 코너 등 다양한 형태의 편집숍 브랜드가 경쟁하듯 생겨나고 있으며, 최근에는 중견패션 기업들이 업계의 주력 판매채널로 꼽히는 백화점보다 '주거 밀착형 매장'을 표방하는 가두점의 비중을 키우며 브랜드의 성장 동력을 꾀하고 있다. 세정그룹을 보면 전국에 320개 매장을 운영 중인 여성복 브랜드 '올리비아 로렌'의 가두점 비율은 97%에 달한다. 라이프스타일 전문점 브랜드 '웰메이드' 역시 전국 350여개 매장 중 백화점 입점 매장은 15%에 그친 반면, 나머지 85%는 가두점으로 나타났다. 패션그룹 '크로커다일레이디' 역시 전체 440여개 매장 중 가두점 비율은 84%에 달한다.

이 같은 출점형태는 30~50대 중·장년층 여성을 메인 타깃으로 선보이는 여성복 브랜드와 남성복 브랜드를 중심으로 이뤄지고 있다. 가두점은 주로 재래시장이나 대로변 등 메인타깃인 40~50대 여성들이 몰리는 입지를 중심으로 출점돼 고객들이 물건을 구매하지 않더라도 쉬었다 갈 수 있는 휴식처의 역할을 할 수 있도록 다양한 편의시설과 음료·다과 등을 제공하고 있다.

또한 1~2년 단위로 점주나 직원이 바뀌는 타 업종과 달리 1명의 점주가 최소 10년에서 길게는 30년 가까이 매장을 운영한 경우가 대부분이어서 고객 개개인의 인적사항이나 근황까지 파악하고 있을 정도로 친밀한 관계를 유지해 고객과 지속적 커뮤니케이션이 가능하다. 이는 매장을 이용하는 고객들의 '사랑방'역할을 통해 소비자들이 원하는 트렌드나 제품에 대한 소비자들의 피드백을 빠르게 확인할 수 있다는 장점이 있다.

이 같은 장점에 따라 SPA 브랜드의 대표 격으로 불리는 '유니클로'도 2012년부터 대형 쇼핑시설이 부족한 지방과 도심과 교외의 거주지를 연결하는 지역을 중심으로 가두점인 '로드사이드 매장'의 규모를 점차 키우고 있다. 2016년 기준 전국에 173개 유

니클로 매장 중 24%에 달하는 42개 매장이 로드사이드 형태의 매장으로 운영 중이다.

다) 쇼핑몰(다수 유통망 연결 및 대형 매장)

백화점의 쇠락과 고객들의 라이프스타일 변화에 맞춰 새로운 쇼핑 공간에 대한 수요가 증가되면서 온 가족이 모여 쇼핑, 외식, 엔터테인먼트를 한 번에 즐길 수 있는 대형 쇼핑몰이 등장하기 시작했다.

영등포 타임 스퀘어는 기존 백화점 형식의 구성이 아닌 광장과 아케이드, 대형매장, 경계 없는 MD구성 등을 통해 국내에서의 쇼핑몰 성공의 가능성을 제시했다. 이후 여의도 IFC몰, COEX몰 등의 선진국형 쇼핑몰 형태가 등장하면서 소비자 및 유통업자 모두 쇼핑몰에 대한 거부 반응 없이 기존 백화점, 대형소매점을 합친 '몰(Mall)'형태 개발에 관심을 가지게 되었다. 빅 3 백화점 유통채널들 역시 기존 백화점의 비효율적을 개선하고자 다양한 쇼핑몰 형태의 구성을 시도하였고 2016년 9월 신세계가 스타필드 하남을 오픈하면서 본격적인 쇼핑몰 시대를 열게 되었다.

그림 38 신세계 스타필드 하남
35)

35) 출저 : 스타필드 하남 홈페이지

라) 아웃렛(시내 및 시외 쇼핑몰)

초기 백화점 중심 유통 브랜드의 경우, 아웃렛을 통한 판매로 브랜드 이미지 하락을 방지하기 위해 재고 상품을 제한된 고객들에게만 염가로 판매하는 패밀리 세일이나, 직영 공장 내 매장을 열어 말 그대로의 아웃렛(Outlet)제품을 판매하는 팩토리 스토어 형태의 소극적 행태를 보여왔다. 기존 백화점 중심의 1차 판매 제품이 2차 제품으로 이월되면 목동, 문정동, 건대입구 등 부심 가두점 중심으로 아웃렛타운이 형성되어 제한된 지역에서 판매한 것이다.

이처럼 아웃렛은 1990년대 길거리 상설 할인타운을 시작으로 2001년 마리오 아울렛 등 백화점식 아웃렛이 등장했지만 당시에는 유통의 주요 산업으로 각광받지 못했다. 그러나 해외여행이 증가하고 글로벌 인터넷 쇼핑에 대한 경험을 가진 소비자의 등장으로 명품브랜드 및 기존 내셔널 브랜드 중심의 상설할인 매장이 교외 지역을 중심으로 형성되기 시작했다.

본격적인 아웃렛 타운의 발전은 프리미엄아웃렛이 등장하면서부터이다. 2007년 6월, 신세계 여주 프리미엄아웃렛이 신설되었고 2007년 롯데백화점, 2014년 현대백화점이 아웃렛에 뛰어들어 시장이 급격하게 성장하였다. 저렴한 임대료로 인해 창고를 포함한 넓은 공간을 가진 교외 형 혹은 국도 및 고속도로 휴게소에 입점하는 형태의 아웃렛은 이후 선진국과 같이 서울역 등으로 진출하는 등 시내형 아웃렛으로 다양한 양상을 띠게 된 것이다.

최근에는 높은 수수료에 의해 수익이 악화되어 가는 백화점 채널의 대안적인 유통형태로 아웃렛 매장이 각광을 받으면서 기존 1차 유통과는 별도의 아웃렛 전용 제품을 기획하기도 한다.

문제는 많은 기업들이 아웃렛을 신설하다 보니 경쟁이 심화되어 현재 수도권에만 대형 프리미엄아웃렛이 7개가 있다. 아웃렛 점포당 인구수는 5만 명으로 미국(158만 명), 일본(185만 명)보다 현저히 낮은 수준이다. 아웃렛은 결국 백화점 재고를 파는 곳이기 때문에 백화점 3개당 1개가 적당한데 백화점 출점이 적고, 아웃렛의 주력 판매 품목인 의류 소비가 부진해 아웃렛 성장에 한계가 있는 것이다.

이에 유통업체들은 아웃렛을 문화, 레저 공간으로 변모시켜 이미지를 탈바꿈하는데 초점을 맞추고 있다. 미국형 아웃렛의 원조 신세계는 회전목마, 어린이용 기차 놀이시설 등을 설치해 어린이 마케팅에 공들이고 있다. 현대백화점은 아웃렛에 인공냇가를 만들고 공연이 가능한 가든 테라스를 조성해 가족 놀이공간을 늘리고 있다. 이는 가격 할인 중심의 해외형 아웃렛에서 문화 중심의 한국형 아웃렛으로 차별화하려는 것

이다.

마) 홈쇼핑

TV쇼핑은 TV 영상 매체를 이용하여 상품정보를 시청자에게 제공하고 이를 통해 상품을 판매하는 첨단 유통 산업으로 상품의 특성과 용도에 대한 시청자들에게 자세한 설명을 할 수 있으며, 전화, 인터넷, 모바일로 주문을 받아 상품을 고객이 희망하는 장소까지 배송해준다.

최초 홈쇼핑은 저가 중심 상품 구성으로 패션 제품도 끼워 팔기 형식의 기본 제품 구성으로 패션유통 채널로서의 한계가 있었다. 초기 시장 역시 비대면 거래가 주는 불안요소가 있었지만 국내 디지털 케이블TV의 보급이 확대됨에 따라 고화질의 쇼핑 방송을 통해 생생한 쇼핑 경험을 제공하게 됨으로써 위기가 기회 요인으로 작용했다. 이와 더불어 홈쇼핑 채널의 다양화 및 인기 쇼핑 호스트의 등장으로 홈쇼핑 시장이 급성장하면서, 차별화에 대한 욕구가 나타났으며, 각 홈쇼핑 업체에서는 이를 위해 패션 브랜드 발굴 및 상품 개발에 적극적으로 나서고 있다.

특히 토요일 오전에 3~4시간으로 집중 확대 편성된 패션타임에서는 글로벌 브랜드 소싱 및 국내외 디자이너 브랜드와의 콜라보레이션 제품 개발 등 다양한 시도를 통해 홈쇼핑 패션 제품의 구성을 한 단계 업그레이드 시켰다는 평가를 받고 있다. 더 나아가 국내 시장에서의 영업 노하우와 경험을 바탕으로 적극적인 해외 시장 개척을 통해 외형 확대와 수익다각화를 통해 유통채널로서 홈쇼핑의 위상이 급부상하고 있는 중이다.

반면에 최근 모바일 미디어의 급속한 성장으로 홈쇼핑 시청률이 하락하고 있는 점, 변심에 의한 반품율이 증가하고 있는 점, 가격 경쟁 및 사은품 추가 부담에 대한 문제로 인한 디자이너 및 브랜드의 심리적 압박 문제는 계속해서 홈쇼핑 유통 채널이 극복해야 할 문제점으로 지적되고 있다.

계속해서 홈쇼핑 사업을 영위하기 위해서는 이러한 다양한 시도 이외에도 전략적인 상품 소싱, 체계적인 물류시스템, 효율적인 고객 데이터 관리와 다양한 서비스 제공이 필수적일 것으로 예상된다.

최근 수출 증가 등으로 인한 소비심리의 개선 움직임은 있으나, TV쇼핑 산업은 경쟁 심화 및 시청률 하락 등으로 T커머스 쇼핑을 제외하고는 성장이 크지 않은 상황이다. 현재 TV쇼핑 회사들은 신상품 개발을 강화하고 라이센스 브랜드 육성 및 독점상품

확대 등을 통해 상품 경쟁력의 우위를 확보하고 있으며, 시청률 제고를 위한 멀티아이템 및 브랜드 프로그램의 활성화 등으로 새로운 방송 포맷을 정착시켰다. 또한 채널간 시너지를 지속 강화화고 있으며, 배송만족도와 상품 품질을 높임으로써 고객서비스를 제고하는 동시에, 지속적인 성장을 위한 조직문화 및 조직역량 강화에 노력하고 있다.

바) 온라인 : 종합몰, 전문몰, 자사몰

온라인은 크게 다양한 상품을 취급하는 종합몰, 패션 제품을 중심적으로 취급하는 패션 전문몰, 브랜드나 패션 유통회사가 직접 운영하는 자사몰로 구분할 수 있다.

종합몰은 대기업 유통 채널을 중심으로 식품, 전자제품 등 다양한 카테고리를 취급하는데, 패션 제품을 한 카테고리로 판매하는 온라인 채널로는 G마켓, 11번가가 대표적이다. 대량의 고객 DB를 보유하고 있고 높은 마케팅 비용을 기반으로 한 다양한 이벤트로 인해 고객의 유입과 상품 노출이 높다. 특히 빅 3 백화점 기존 홈쇼핑 채널에서의 성공을 바탕으로 이를 온라인과 모바일로 연동한 옴니채널 전략을 통해, 고객과의 접점을 확대해가고 있다.

패션 전문몰은 패션제품을 주로 취급하는 온라인 쇼핑몰로 하프클럽이 대표적으로, 최초에는 온라인 아웃렛의 개념으로 할인된 상품을 취급하면서 백화점 유통을 보완하는 개념으로 자리 잡았다.

브랜드 자사몰은 기본적으로 종합몰과 전문몰에 유입된 고객 DB를 확보하지 못하면, 지속적인 타겟팅을 통한 마케팅이 어려우므로 자사몰을 통한 유입을 증가시키기 위해서 시작된 채널이다. 국내 패션 유통 특성상 유통기업이 가격 결정권을 가지고 있고, 가격 할인 요인에 의해 쉽게 움직이는 소비자 특성상 확실한 차별화 포인트를 가지지 못하면, 고객 유입 및 구매 전환율이 저조할 수 있다.

이를 보완하기 위해 대기업을 중심으로 SSG몰, LF몰, 인터뷰샵 등은 자사 모든 브랜드는 물론 디자이너 브랜드 등을 추가로 편집해 마케팅을 통해 유입시킨 고객들의 체류시간 연장 및 이탈 방지를 적극 추진하고 있다.

온라인 기반의 의류전문 쇼핑몰들의 성장 추세가 두드러지고 있는데 대표적인 사례로 '스타일난다'를 운영하는 ㈜난다의 경우 오프라인 매장을 출점하여 백화점 입점에 성공했다. 이어 화장품 브랜드도 론칭하였으며, 중국시장까지 진출해 가시적 성과를 내고 있다.

또한, '난닝구 닷컴'을 운영하고 있는 ㈜엔라인은 높은 성장세와 수익성을 기록하며 Pre-IPO 및 IPO(기업공채)절차를 진행 중이다. '무신사'를 운영하는 ㈜그랩은 남성용 온라인 의류쇼핑몰의 시초로 다양한 브랜드의 남성의류 및 액세서리를 선별하여 트렌드를 제공하면서 성장하고 있다. 2017년에는 자체 브랜드 '무신사 스탠다드'를 추가로 론칭하는 등 계속해서 사업 확장을 하고 있다.

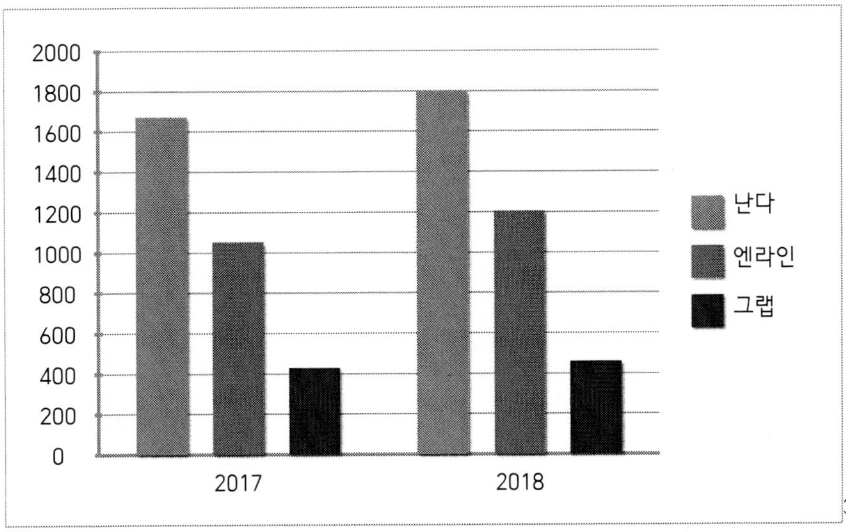

36)

그림 39 주요 온라인 기반 의류 전문 쇼핑몰 3사 매출액 및 수익성
(단위: 억 원)

이처럼 온라인을 기반으로 성장한 의류쇼핑몰들의 오프라인 진출이 수년간 지속되고 있다. 롯데백화점에는 2013년 '스타일난다'매장 오픈을 시작으로 현재 20여개의 온라인 쇼핑몰 브랜드의 100여개의 매장이 입점해 있다. 또한, 온라인 쇼핑몰 전통의 강자 스타일난다는 홍대, 명동, 가로수길에 플래그십 스토어를 운영하고 있다.

사) 모바일 : 어플리케이션, 소셜미디어, 큐레이션 몰

2016년을 기점으로 전세계를 비롯해 국내에서도 모바일 커머스의 성장이 온라인 커머스의 성장을 앞지르는 것을 보더라도 모바일 커머스는 가장 중요한 패션 유통 채널로 전망된다.

36) 온라인 주먹구구식 경영엔 미래 없다, 패션인사이트, 2019.06.16. 발췌 편집

모바일 커머스는 최초 어플리케이션을 마켓에서 다운로드 받아 설치하는 형태에서 온라인과 모바일 모두에서 동일한 형태로 보이는 반응형 웹이 발달하면서, 모바일 웹 형태의 쇼핑몰로 발전되어 가는 양상이다.

특히 모바일로 인터넷을 접속하는 양이 급증하면서 모바일 커머스의 중요성은 더욱 높아지며, 역시 소셜미디어를 통한 자유로운 연동이 커머스 유입 및 구매 전환으로 이어질 가능성이 매우 높다.
다만, 현재 국내 간편 결재 시장은 핀테크 산업이 시작 단계에 있으므로 아직 중국 등 핀테크 선진국에 비해 모바일 커머스에서 성공 사례는 아직 나오고 있지 않은 상황이다. 향후, 고객의 패션 선호 및 취향 정보를 바탕으로 기계학습을 통한 패션 코디 추천 서비스 이른바 '큐레이션(Curation)'서비스를 장착한 모바일 커머스 등장은 더욱 고객관계 지향적인 서비스를 바탕으로 한 모바일 커머스의 발달로 이어질 것으로 예상된다.

3) 국내외 패션 유통산업 동향

가) 국내

(1) 국내 의류 유통구조 변화

최근 국내 유통산업은 급격한 변화를 겪고 있다. 할인점 및 백화점 등의 대형 점포수가 늘어나면서 재래시장 및 제조업체의 소규모 대리점은 크게 축소되고 있는 반면 대형 아울렛 형태의 쇼핑몰, 인터넷 쇼핑몰 등의 신유통업태가 성장세를 보이고 있다.

현재 국내 의류산업에서 의류 제품의 판매 가격 중 유통 관련비용은 전체 매출액 대비 30~40%로 가장 큰 비중을 차지하고 있어 이와 같은 유통구조 및 유통채널의 변화는 의류 업체들의 수익성과 직결된다.

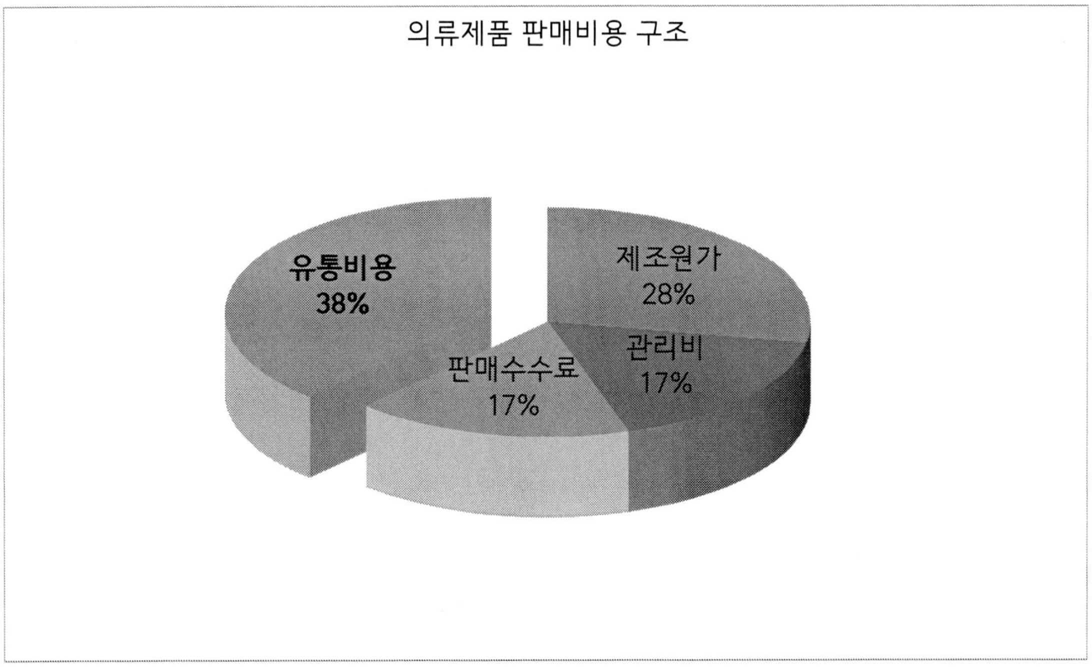

그림 40 의류 제품 판매 비용 구조

의류제품은 1900년대에 등장한 주문복점에서 기성복점을 거쳐 현재는 백화점, 할인점, 아웃렛, 인터넷쇼핑몰, TV홈쇼핑 등 다양한 유통채널을 통해 판매되고 있으며 유통채널의 변화는 유통구조의 형성과정과 그 맥락을 함께 하고 있다.

의류 유통구조는 시대별 요구에 따라 다양한 모습으로 변해왔고 현재 국내 의류 유통구조의 특징을 살펴보기 위해서는 먼저 시대별 유통구조 흐름을 살펴보는 것이 중요하다. 따라서 우선적으로 국내 의류제품의 유통구조 형성과정을 살펴보고 최근 의류 유통구조의 특징을 정리하고자 한다.

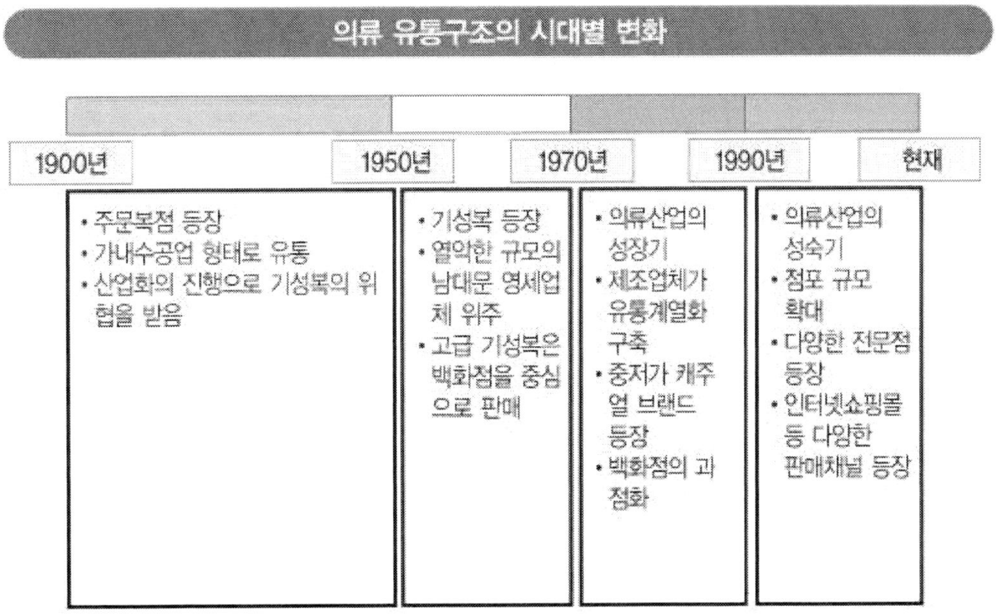

그림 41 의류 유통구조의 시대별 변화

37)

(가) 1900년대 初 : 최초의 서양의복 유통채널인 주문복점

1900년대 초 우리나라에서 서양의복은 주문복점이라는 유통채널을 통해 처음으로 유통되었다. 주문복점은 가내수공업 형태로 유통되었는데 신사는 양복점, 숙녀는 양장점이 바로 우리가 알고 있는 최초의 의류 유통채널이다. 처음 도입된 시기를 정확하게 알 수는 없지만 미쯔코시 경성지점(1930년 개점)3층에 양복, 양장 코너가 있었다는 기록(신세계 백화점, 1987년)을 미루어 보아 꽤 오랜 역사를 가지고 있는 것으로 추정된다.

국내에서 최초의 의류 유통채널이었던 주문복점은 산업화가 진행되면서 기성복의 도전을 받게 되는데 시대적 흐름에 발 빠르게 대응했던 몇몇 주문복점은 이미 주문복점 내에 일부 공간을 활용해 기성복점을 함께 운영하기도 하였다.

이 시기에 양복점·양장점은 상류층을 위한 주문복과 서민층을 위한 기성복을 함께 취급하였지만 상류층을 대상으로 유명해진 양장점은 지속적으로 성장한 반면, 그렇지 못한 주문복점들은 기성복점에 밀리게 되었다.

37) 자료 : 한국섬유산업연합회

(나) 1950~60년대 : 산업화의 진행과 함께 기성복점이 주문복점을 대체

6.25 전쟁 후 서울 남대문 시장을 중심으로 소규모 기성복점이 생겨났으며 이것이 국내 기성복의 출발이다. 초기 기성복점은 몇 명의 양복공들이 재봉틀 몇 대를 가지고 코트나 바지를 주로 생산하였으며 그 규모와 품질은 매우 낮은 수준이었다. 기성복의 수요는 주로 의생활이 서구화되면서 맞춤복을 입을 여유가 없는 저소득층이 중심이 되었으며 저소득층을 대상으로 한 초기 기성복 업체는 기술 부족과 저급 원단 사용 등으로 주문복에 비해 품질이 크게 떨어졌었다.

이후 대량생산체계를 갖춘 기업형 기성복 업체를 중심으로 기성복 시장이 성장하게 되었고 상대적으로 열악한 규모의 남대문 시장 등의 소규모 영세업체는 전문화된 소수의 품목을 대량 생산함으로써 생존하게 된다.

1960대 후반 유명 디자이너 양장점들이 주문복과 기성복을 겸업하기 시작하면서 시장 기성복에 이어 고급 여성 기성복이 발달하기 시작한다. 고급 여성 기성복은 도입 초기 여성 기성복 시장의 협소함으로 인해 대량생산을 통한 원가절감이 불가능해 중산층을 대상으로 하였고 이러한 구조는 현재까지 고착화되었다.

한편 우리나라가 산업화되고 경제도 본격적으로 성장하자 과거 1930년에 국내에서 최초로 등장한 일본 미쯔코시 백화점 경성지점 이후 다시 근대적인 백화점이 등장하였다. 1969년 신세계백화점이 직영체제로 전환되면서 대도시의 상류층을 목표로 영업을 하기 시작하였고 고급 기성복들이 백화점을 중심으로 판매되기 시작하였다.

(다) 1970~80년대 : 의류산업의 성장기로 대량판매경로 확보

1970년대 중반부터 대기업이 여성복, 유아복, 스포츠의류 등에 본격적으로 진출하면서 의류산업은 성장기를 맞이하게 된다. 의류산업이 성장기에 접어들면서 의류업체는 대량생산을 통한 규모의 이익을 인식하고 대량생산체제를 구축, 유통구조를 계열화시켜 대량판매경로를 확보하게 된다. 당시 유명브랜드의 의류제품은 아래 그림과 같은 유통경로를 통해 판매되었으며 이 중 첫 번째와 두 번째 유통경로가 주로 이용되었다.

성장기의 국내 의류제품 유통경로

유통경로①	제조업체 → 직영점 → 소비자 •직영점은 제조업자가 중간상을 배제하고 소비자에게 직접 판매하는 형태 •유명 제조업체의 상설할인매장이 여기에 속함.
유통경로②	제조업체 → 대리점, 특약점 → 소비자 •직영점은 제조업자가 중간상을 배제하고 소비자에게 직접 판매하는 형태 •유명 제조업체의 상설할인매장이 여기에 속함.
유통경로③	제조업체 → 도매업자 → 소매업자 → 소비자 •직영점은 제조업자가 중간상을 배제하고 소비자에게 직접 판매하는 형태 •유명 제조업체의 상설할인매장이 여기에 속함.

그림 42 성장기의 국내 의류제품 유통경로

이와 같이 제조업체가 유통계열화를 구축하는 주된 이유는 대량생산되는 제품을 대량 판매하기 위한 것이었다. 제조업체의 유통계열화 방식은 업체 규모에 따라 달라졌는데 소수의 중상류층을 대상으로 하는 디자이너 브랜드는 직영매장 의존도가 높았고 고객을 대상으로 하는 기성복 브랜드는 대리점 의존도가 높았다.

한편, 이 시기의 의류 유통 특징은 3가지로 요약할 수 있다. 첫째, 시장 의류제품소매기관 규모가 영세하였고 유통경로를 복잡하게 하는 결과를 초래하였다. 또한, 복잡한 유통경로로 인해 추가된 유통비용은 소비자 가격에 고스란히 반영되었다.

둘째, 이랜드와 같은 중저가 캐주얼 업체가 등장한 시기가 바로 이때이다. 중저가 의류업체는 업계 최초로 물량위주의 판매방식, 박리다매 전략을 취하면서 소규모 대리점을 통해 전국적으로 판매함으로써 가격 대비 질이 좋은 상품을 공급할 수 있었다.

셋째, 1979년까지 9개에 불과하던 백화점이 1980년대 후반까지 총 52개점을 신규 출점하면서 성장기를 맞게 된다. 그러나 1990년대 후반 서울지역을 중심으로 소수의 대형 백화점이 수도권, 지방 상권으로 진출하면서 중소백화점이 도산, 합병하게 되고 현

재는 롯데, 현대, 신세계의 메이저 3社가 시장을 주도하면서 소수의 중견업체들이 근근이 영업을 영위하고 있는 실정이다.

(라) 1990년대 : 성숙기에 접어들면서 소매유통채널 다양화

국내 의류산업은 1990년대 들어서면서 성숙기에 진입하였고 점포 규모가 확대되었다. 이 시기에 다양한 형태의 전문점이 등장하였는데 기존의 대리점보다 넓은 면적의 매장에 다양한 브랜드의 의류제품을 취급하는 것이 특징 중 하나였다.

이러한 판매형태는 나산, 대현, 신원 등 중견 의류업체에서 명동을 중심으로 다양한 브랜드의 상품을 취급했던 전문점이 많았는데, 대형 백화점과 차별화를 부각시키지 못해 경쟁력이 없는 점포로 전락하였다.

이후 1990년대 후반기에 가장 주목받은 판매채널이 제조형 전문점(SPA: Speciality store retailer of Private label Apparel)이다. 이러한 SPA의 가장 큰 특징은 판매점포를 중심으로 그곳에서 팔릴 수 있는 상품을 기획한다는 점에서 기존 의류업체가 먼저 제조 후 자사 판매망을 통해 영업활동을 하던 형식과는 큰 차이가 있다. SPA등장 외에도 성숙기 의류 판매채널의 특징은 인터넷 쇼핑몰, TV홈쇼핑, 할인점, 아웃렛 등 새로운 판매채널이 등장했다는 것이다.

이들 신업태는 초기 판매비중이 그리 높지 않았던 의류 상품의 비중이 점차 높아지고 있는 추세를 반영한 것으로, 대리점이 위축되고 백화점이 고급화·과점화 되면서 기존 점포의 쇠퇴가 두드러지게 되었다.

(마) 2000년대 : 신규 채널의 성장, 전통 의류 판매 채널의 지속적 축소

그 동안 의류업체는 제조에 중점을 두고 대량생산체제 구축을 통한 '규모의 이익'을 추구해왔다. 하지만, 의류산업을 둘러싼 제반 환경 변화로 인해 의류 유통에도 많은 변화가 발생하게 되었고 이 중 가장 큰 변화로 판매채널을 중심으로 한 의류 제조를 들 수 있다.

의류기업의 핵심기능이 변화하고 있으며, 최근 의류 유통 구조의 주요 특징을 요약하자면 다음과 같다. 첫째는 의류 제품의 생산이 과거에는 제조기업 중심에서 판매중심

으로 기획, 제작된다는 점이다. 둘째는 교통수단의 발전과 인구증가에 힘입어 대도시를 중심으로 대규모 소매점을 통한 판매 비중이 증가하게 된다는 점이다.

소규모 점포의 쇠퇴와 대규모 점포의 활성화 측면에서 보면, 과거 국내 의류 상품 유통은 영세 상인을 중심으로 이루어졌지만 자본력을 갖춘 대기업이 의류산업에 뛰어들면서 의류 유통시장의 통합 단계가 진행되게 된다. 이후 규모의 경제를 추구하는 대규모 점포가 증가하면서 소규모의 영세한 점포는 점차 쇠퇴하게 되고 탄탄한 자본력을 바탕으로 한 대규모 점포는 더욱 활성화되게 된다.

대규모 점포의 활성화는 사회구조 변화와도 관련이 있는데 도시화가 진행되면서 접근성이 발달하고 한 곳에서 다양한 쇼핑이 가능한 '원-스톱'쇼핑으로 소비패턴이 변화하게 되었다. 과거 기성복이 발달하기 전까지는 의류 제조와 유통이 분리되지 않았지만, 그 후 대량생산 체제를 갖춘 기성복이 등장하면서 생산과 판매가 분리되었다. 이후 생산 자체에서도 분업화가 이뤄지면서 의류업체가 직접 생산하는 비율도 점차 줄어들고 하청 생산비중이 증가하게 되었다.

이렇듯 자체 생산 비중이 줄어들면서 상대적으로 의류업체는 생산업체와 유통업체의 중간 역할을 수행하게 되는데, 주로 자금 지원과 전속 대리점에 상품 운송, 판매방법 교육, 판매가 안 된 상품의 반품 처리 등의 도매기능에 집중하게 되었다. 이후 인터넷 쇼핑몰, 홈쇼핑, 할인점 등 신업태에서 자체상품(Private Brand)가 부각되면서 의류업체 소매기능은 더욱 중요해졌다.

의류산업의 성장기에는 생산에서 규모의 경제가 있었고 따라서 의류 제조 기업을 중심으로 한 소매유통의 계열화가 이루어졌지만 최근에는 소매기관이 대형화되면서 대량판매에 의한 규모의 이익이 추구됨에 따라 소매 기업에 의한 생산 계열화가 이뤄진다. 바로 SPA가 소매기업 중심의 생산계열화의 대표적인 사례로, 해외 SPA브랜드들의 국내 진입이 본격적으로 추진되는 시기이다.

(바) 2010년대~현재: 라이프 스타일 기반 디지털 유통 및 옴니채널 시대

소비자의 구매 정보 습득 및 구매 행태의 변화가 커지는데 특히, '밀레니얼 세대'[38]와 함께 '합리적 소비자'의 등장이 중요하다. 밀레니엄 세대들은 어릴 적부터 여러 가지 디지털 기기를 다루고 자란 세대로 모바일에서 보이는 독특한 소비행태의 전형을 보

38) 밀레니얼 세대란 1980년대 초부터 2000년대 초 사이 출생하여 2007년 글로벌 금융위기 이후 사회생활을 시작한 세대로, 모바일 기기를 이용한 소통에 익숙한 사람들이다. 2010년 이후 사회의 주역으로 점점 대두하고 있다.

이는 소비자이다. 자신에 대한 투자도 중시하고, 유통업체의 MD전략에 구애받지 않는 자유로운 쇼핑 특성을 가진다.

이러한 현상은 경영자 입장에서는 리테일러의 머천다이징과 소싱이 폭발적으로 복잡해짐을 의미하며, 아울러 이들은 권위, 품격, 정의, 공정성에 대한 새로운 시각으로 세상을 바라보기 때문에 브랜드 이미지를 받아들이는 방식도 기존 세대와 다르다. 따라서 기업들은 마케팅과 영업의 근본적 시각도 이들 새로운 소비자에 맞춰 다른 전략을 사용하고 있다.

가성비를 중시하는 '합리적 소비자'의 등장 또한 시장의 흐름을 바꾸고 있는데, 이들은 명품들이 만들어낸 세컨드 브랜드를 선호하는 경향이 강하다. 뿐만 아니라 가격대비 품질이 우수한 저가제품이나 자가 브랜드(Private Brand, PB)또한 이들의 입맛을 맞추고 있다. 이러한 합리적 소비자들의 소비 행태로 인해 증가(mainstream)브랜드는 위로는 명품이나 세컨드 브랜드, 아래로는 자체브랜드로부터 압박을 받으며 갈수록 위축되고 있다.

그러므로 이제 새롭게 패션 브랜드 사업을 진행하고자 한다면, 백화점, 아웃렛, 가두점 등 기존 채널에 대한 의존도를 벗어나 직접 소비자를 상대하기 위해 디지털 소비자의 행태를 이해하고(Learn), 페이스북, 카카오스토리, 인스타그램 등 소셜미디어를 통해 물건을 판매하는(sell) 세 가지 활동 요소가 반드시 요구된다.

패션부분에서 디지털 유통이 성장세를 보일 것으로 예상되는데, 특히 모바일 플랫폼을 활용한 성장이 온라인을 앞설 것으로 전망된다. 이는 옴니채널을 통한 매출의 절대적인 양이 늘어나고 수익 기여도도 현저히 높기 때문이다. 옴니채널[39]은 매장, PC, 모바일, TV, 카탈로그 등 여러 개의 쇼핑 채널을 소비자 중심의 관점에서 빈틈없이 유기적으로 결합해 일관된 쇼핑경험을 끊임없이 제공해야 하며, 이와 같은 맥락으로 패션에서도 채널의 전화, 즉, 디지털 유통, 옴니 채널 등이 강화되고 있다.

특히, 고급 오프라인 매장을 중요시하던 럭셔리 브랜드라 하더라도, 오프라인만을 사용하는 고객보다 '온라인&오프라인'을 사용하는 고객의 매출·수익 기여도가 3배 이상 높다. 신규 중소 브랜드 또한 기존에 비해 디지털 유통 환경에서 시장 진출이 쉽고 그 성과가 높아졌기 때문에 기존 대형브랜드의 시장 지배력이 약해지기 시작했다.

결국 브랜드 업체들은 기존에 갖고 있던 가두점과 백화점 채널에 대한 시각과 관리방식을 근본적으로 바꾸어 나가야 한다.

---

39) 모든'이라는 뜻의 단어 omni와 '경로'를 뜻하는 channel의 합성어로, 기존 온·오프라인 유통 채널에 IT·모바일 기술을 융합한 유통 전략을 의미한다.

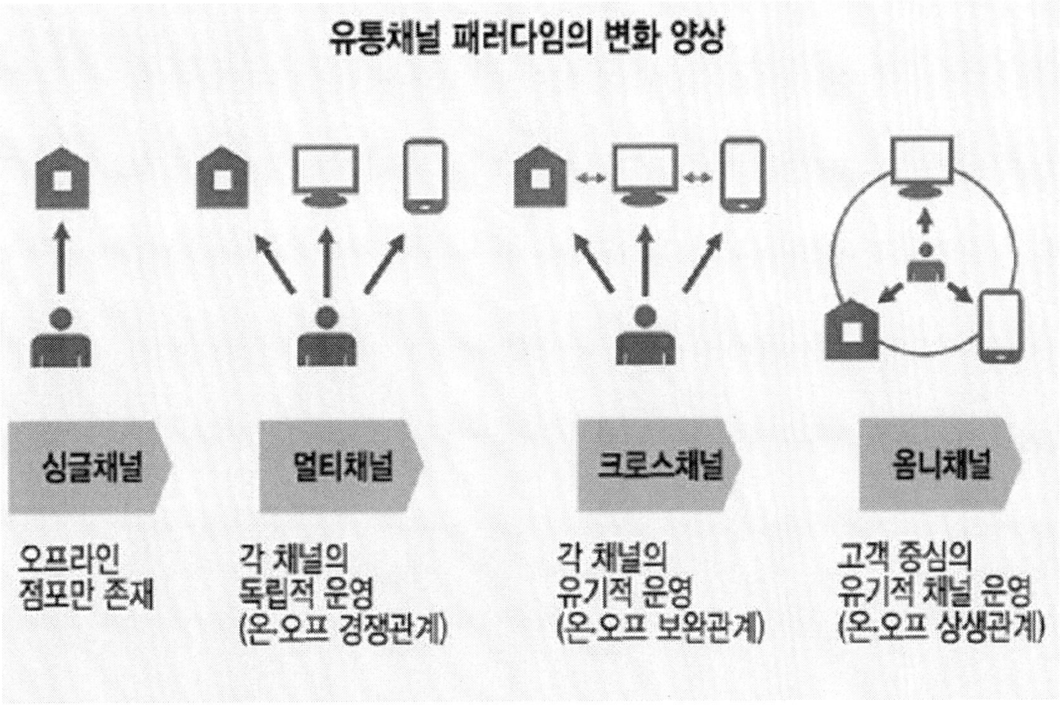

그림 43 유통채널 패러다임의 변화양상

또한 앞으로는 온라인 유통이 발달하면서 유통경로가 점점 더 단축될 것이다. 전통적인 유통경로인 제조업체/생산자→총판/대리점→도매업체→소매업체→소비자에서 제조업체/생산자→소비자 혹은 제조업체/생산자→유통업체→소비자로 진행되고 있다. 기존 오프라인 유통업체들의 경우 상품을 납품 받아서 보관하다가 소비자에게 판매하면서 보관비용, 관리비용이 증가했으나 온라인 유통업체들의 경우 상품을 납품받아서 보관하다가 소비자에게 판매하면서 보관비용, 관리비용이 증가했으나 온라인 유통업체들의 경우는 상품 판매를 중개만 해주는 형태라 주문을 받으면 상품 공급업체에서 바로 소비자에게 배송해주기 때문에 비용적인 측면에서 훨씬 유리하다. 특히 복잡한 유통경로를 가진 농, 수, 축산물의 경우도 유통경로에 있는 담당자들이 온라인으로 직접 판매 시 유통경로가 단순해지면서 판매가격은 낮아지고 있다.

(2) 의류 유통구조의 변화 배경

(가) 단계별 재고 소진 구조

전통적인 의류산업의 유통구조는 정상제품의 60%를 팔고 남은 40%는 재고가 되어 그 다음해에 저렴한 가격으로 할인매장에서 판매되는 단선적인 유통구조였다. 그러나 제조업체들은 내년으로 넘길 경우 창고비 등 부대비용이 소요되며 좀 더 저렴한 가격에 팔더라도 당장 자금을 확보하는 것이 여러모로 유리하다는 입장이다.

이에 따라 의류제품의 경우 할인 유통의 경로가 더욱 다각화되고 있으며 경쟁 또한 심화되고 있다. 의류업체들은 신상품이 출고되면 시즌 정상 판매를 통해 2~3개월까지 매장에서 정상가로 판매하여 약 30%정도를 소진하게 되며 출고 후 2~3개월이 지나면 정상가격의 30%정도를 인하하여 정상 유통점에서 판매하게 된다.

이렇게 정상 유통점에서 판매하고 남은 제품은 재고 상품으로 분류된다. 재고 상품들은 시즌 아웃상품으로 분류되어 할인매장 또는 아웃렛매장으로 출고된다. 이 경우 짧게는 2~3개월부터 2년까지의 재고상품들이 일반적으로 정상가에서 50~70%할인된 가격으로 판매되고 있는데 할인점과 아웃렛의 유통채널에서는 이 상품의 판매가 전체 매출의 70%가량을 차지하고 있는 것으로 나타났다.

2년 이상 지난 재고상품은 정상 판매가의 70~90%까지 할인된 가격으로 특판 행사에서 이벤트로 판매된다. 대부분의 재고상품은 이 단계에서 거의 다 소진되지만 판매되지 않고 남아있는 재고 상품의 경우는 동남아 등지로 수출되거나 소각되는 형태로 처리된다.

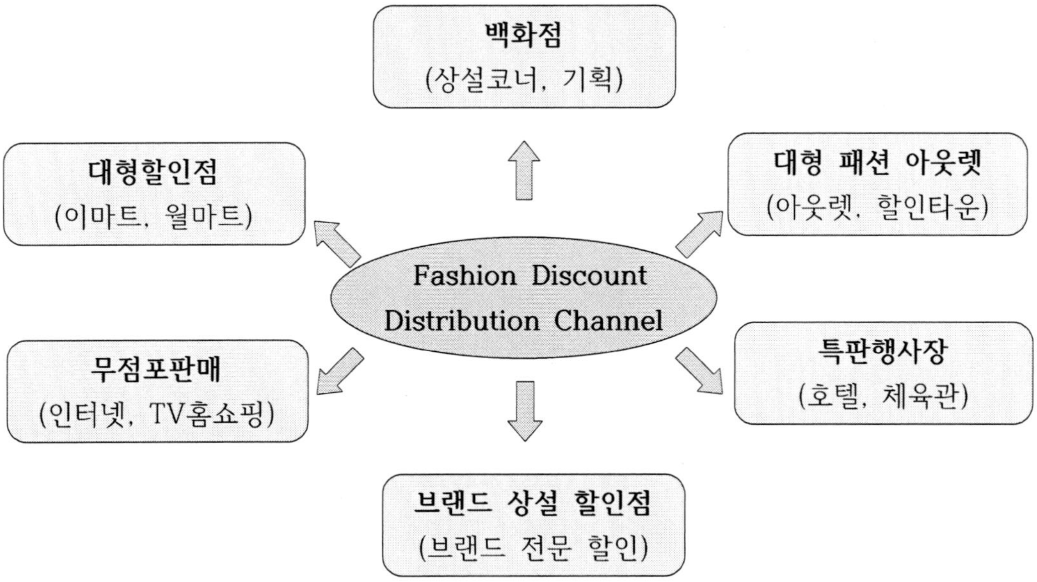

그림 44 의류 산업의 제품할인 유통 경로

(나) 재고 감소를 통한 수익 증대 방안 모색

의류 유통구조가 생산자 중심에서 판매자 중심으로 바뀌게 된 사실은 재고 처리에 대한 부담감을 줄이고자 하는 의류업계의 의지를 반영하고 있다. 의류제품은 다양한 경로를 통해 단계적으로 판매되는데 한 단계씩 추가될 때마다 판매액 대비 수익성은 하락하는 경향을 가진다.

만약 기획 단계부터 판매가 가능한 의류를 중심으로 생산, 회전율을 높인다면 시간가치와 수익을 증대시킬 수 있다. 최근 의류 유통 변화 추세인 SPA진출과 유통업체의 직수입 브랜드 증가도 이와 같은 맥락에서 이해할 수 있을 것이다.

(다) 소비의 양극화 및 합리적 소비 증가

최근 모든 소비활동에서 나타나는 공통적인 현상은 '소비의 양극화'이며 의류산업에서도 예외가 될 수 없다. 중국산 저가 의류가 국내 의류 시장을 장악하면서 저가 의류를 추구하는 소비자들은 인터넷 쇼핑몰 및 TV홈쇼핑, 할인점, 아웃렛 등을 주로 이용하게 되고 최근 몇 년간 이들 신 유통채널이 급격히 성장할 수 있는 역할을 하게 된다. 한편, 고급의류를 찾는 소비자들은 백화점으로 발길을 돌리게 되는데 이들 고객층

을 확보하고 신 유통채널에 대항하기 위해 백화점들은 더욱 고급화를 추구하는 전략을 쓰고 있다.

소비의 양극화가 일어나는 동시에 합리적 소비자도 증가하여 의류의 유통과정에서 발생한 거품이 제거된 납득할만한 가격 수준에서의 소비를 추구하는 소비자들도 증가하였다. 합리적 소비자의 증가는 상대적으로 저렴한 가격대의 의류를 주로 취급하는 인터넷 쇼핑몰과 아웃렛, 할인점의 성장을 견인하였으며 SPA가 본격적으로 국내에 런칭하게 된 원인을 제공하기도 한다.

나) 해외

(1) 미국

(가) 미국 패션 유통 특성

미국의 패션유통은 주로 홀세일(Wholesale)과 자체 상표(PB)를 기본으로 한다. 전통적인 미국 패션 유통 채널은 제조업에서 도매업을 거쳐 소매업으로 이어지는 구조를 갖는다. 주요 리테일러(retailor)들은 유통구조에 따라 연 2~6회 전문 쇼룸을 통해 상품을 구매하고 있다.

미국은 디자이너와 홀세일 그리고 리테일러의 역할이 비교적 명확하게 구분되어 있다. 미국이나 유럽 선진국의 경우 상품의 기획과 생산, 유통 등이 세분화 되어 있어 각각의 전문성을 확보하면서 그 기능이 강화되어 왔다.

대부분의 패션 디자이너는 상품을 기획하고 생산은 도매업체 또는 제조업체의 의류 및 액세서리 라인에서 담당하게 되며, 이렇게 생산된 상품은 개별 매장이나 온라인 소매 업체 등 소매점에 진열되어 판매된다.

디자이너-제조사-유통채널 바이어를 연결해주는 역할을 '세일즈 에이전트(세일즈 랩, Sales Rep.)'가 수행한다. 미국은 넓은 지역적 특성 때문에 제조업에서 도매업으로 넘어갈 때 중간에 에이전트를 활용하는데 중간상인 세일즈 랩(Sales Rap)을 통해 제조업자와 도매업자가 연결된다. 홀세일 전개방식이 고착화 되어 있는 미국은 세일즈

랩 형태로 유통이 이뤄지다가 점차 쇼룸 비즈니스[40]로 그 형태가 발전했다.

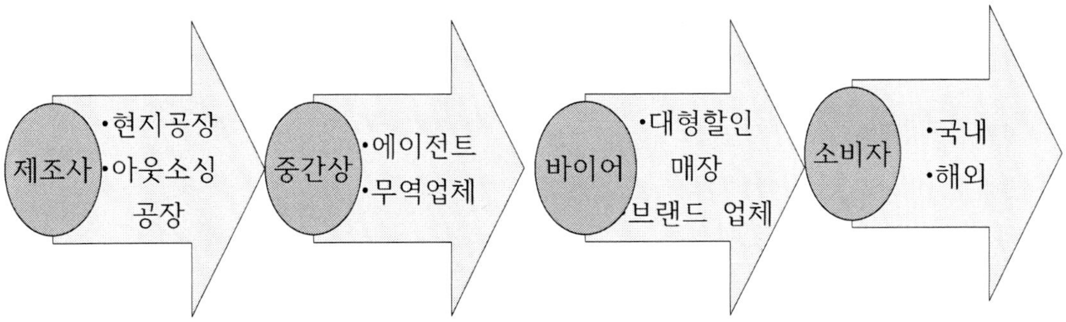

그림 45 전통적인 미국 의류 도매시장 유통구조
41)

일반적으로 세일즈 랩은 상설 쇼룸을 보유한 에이전트와 시즌 동안에만 짧은 기간 장소를 대여하는 팝업(Pop-up) 쇼룸을 운영하는 에이전트로 구분할 수 있다. 일반적인 에이전트는 비용의 부담을 고려, 시즌에만 한시적으로 팝업 쇼룸을 운영하며, 상설 쇼룸은 현지에서 인지도가 있는 에이전트가 주로 운영한다. 쇼룸공간을 확보하지 못한 경우, 리테일러와 약속을 하고 물건을 들고 직접 투어를 하거나, 온라인에서 룩북(Look book)등을 통한 컬렉션 전시와 오더를 진행하기도 한다.

일반적인 쇼룸의 기능은 세일즈, 홍보를 중심으로 하며, 최근 브랜드와 함께 '성장'하길 원하는 에이전트들을 중심으로 컨설팅 기능이 점차 강조되고 있다. 단순 바이어 리스트가 아닌, 실제 쇼룸으로 초청할 때 응할 수 있는 바이어와의 관계가 에이전트의 핵심 역량이다. 바이어는 에이전트의 전문성을 전제로 신진디자이너의 옷을 리스크를 감수하고 구매하게 된다.

브랜드 세일즈 렙은 자사 쇼룸, 전시회, 언론 매체를 통해 브랜드를 홍보하는데, 전시회의 경우 연간 5,000회에 가깝게 뉴욕, 샌프란시스코, 시카고 등지에서 개최되고 있으며, 인근지역의 유통업체나 산업계 수요자 등이 집중적으로 구매 상담에 참여하기 때문에 지역시장 진출을 위한 기회가 될 수 있다.

40) 쇼룸 비즈니스 : 자유무역지역의 중계·가공 무역 활성화를 조장하기 위한 목적으로, 견본품을 먼저 전시해 바이어에게 보여 준 후 상담을 통해 판매하는 사업을 말한다. [네이버 지식백과]
41) 출저 :김효정 (2015), 국내 디자이너브랜드의 해외시장 진출을 위한 글로벌 마케팅 전략 연구 p.75

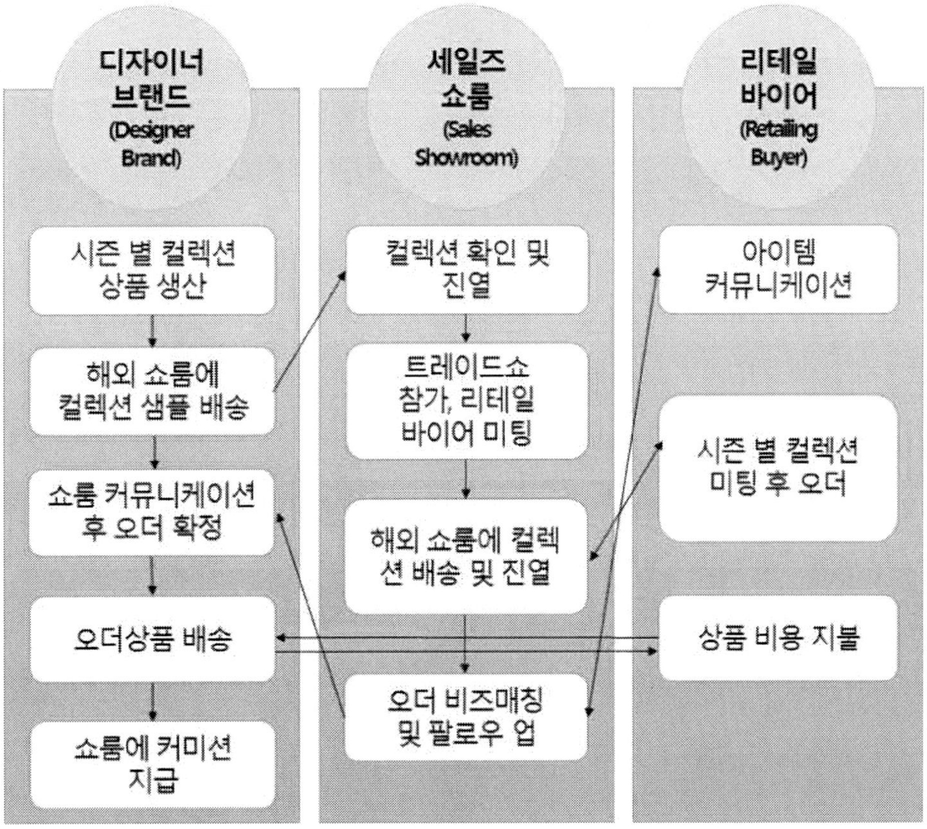

42)

그림 46 세일즈 쇼룸의 업무 흐름 프로세스

바이어들은 세일즈 렙의 전문성을 믿고 디자이너 브랜드를 구매하는 경향이 높으며, 트레이드 쇼에 디자이너가 직접 나와 있는 상황보다 에이전트가 나와 있는 것을 더 전문성 있는 기업이라 판단하는 경향이 있다. 온라인 시장이 커졌지만 여전히 바이어는 오프라인 공간에서 옷을 직접 보고 소재나 피팅(fitting) 등을 확인 한 후 바잉(buying)을 결정하고 있으며, 쇼룸 방문 없이도 바잉을 진행하는 경우는 브랜드에 대한 신뢰가 구축되는 최소 2~3시즌 이후에나 가능하다.

브랜드 전체의 관점에서 보다 효율적인 협업이 중요해지고 있으며, 세일즈 랩과 브랜드(디자이너)가 함께 성장하는 관계를 위한 파트너십 구축이 중요해지고 있다. 세일즈 렙 중 좋은 브랜드인 경우 디스트리뷰터(Distributor)로 전환하여 실제 사업 파트너로서 더 견고한 관계를 구축하려고 노력하는 경우가 있다.

미국 내 세일즈 랩의 현황을 살펴보면 세일즈 랩의 커미션은 보통 10~15% 정도이며, 세일즈 랩을 통한 판매 시 물량을 충분히 확보하여 주문 이후 신속히 물량을 내보내거나 A/S 해줄 수 있어야 한다.

42) 출저 : 김효정 (2015), 국내 디자이너브랜드의 해외시장 진출을 위한 글로벌 마케팅 전략 연구 p.86

쇼룸 비즈니스는 미국 등지에 일반화된 유통구조로 홀세일 쇼룸이 기본적인 형태나 일반 소비자를 대상으로 하는 B2C쇼룸으로 발전하는 사례도 있었다. 쇼룸은 일종의 오프라인 상설 전시장을 보유한 세일즈 랩으로 디자이너 브랜드로 구성된 멀티브랜드 쇼룸은 뉴욕과 LA에 집중되어 있다.

구분	주체	역할
도매	전용기업쇼룸 (exclusive corporate showroom)	-단일 '판매자'의 상품만 제공되는 것으로 때때로 한 라인의 상품일 수도 있고, 여러 라인의 상품일 수도 있음 -그러나 모든 상품은 그 생산자의 것만 다루게 되고 판매사원들도 그 한 회사만을 대표함
	멀티라인(multiline)쇼룸	다양한 제조자 라인들이 모여 있는 쇼룸으로 독점적 기업용 쇼룸과는 대조됨
	기업판매 (cooperate selling) : 직접 소매 거래처들에 판매	신생패션 업체(start-up)들은 주로 기업판매를 많이 선택하는데 이는 제조회사들이 그들의 소매 거래처에 직접 판매함을 의미한다.
		-초배타적 공급(highly exclusive)패션 사업체 또한 그들의 제품을 자신들의 상품을 취급하도록 허락한 소수의 점포들에 전달하는 주요한 수단으로 기업판매를 사용함.(고급의 고가격디자이너 기성품과 액세서리 제품들인 경우가 종종 있다.) -그들의 매 패션시즌마다 그들이 제공하는 소수의 상품들의 배타적 성격을 유지하기 위해 이러한 방식을 사용함.
		대규모 소매 거래처를 가진 대규모 제조업체도 기업판매의 후보자

표 21 미국의 도매 주요 유통 채널 및 역할

구분	주체		역할
소매	소규모 자영업자 점포(mom-and-pop store)		대개는 한 가족에 의해 운영되는 점포들로 크기나 범위가 작고 일반적인 상품들 즉, 껌부터 가정용품들까지 제공.
	전문점(specially store)		-남성복, 여성복, 아동복 등 특정한 제품 범주 내의 집중된 구색의 상품을 제공함 -초기에 전문점은 종종 그들의 전문성을 지역사회에서 인정받는 개인들에 의해 운영되었음. 이는 고객들을 종종 개인적으로 잘 알고 있다는 것을 의미하며 표적 마케팅이 가능하게 했음.
	컨템포러리 전문점		오늘날의 전문점포는 고급의류, 임신복, 운동복 및 요가복, 특정한 화장품 라인 등 다양함.
	백화점(잡화상general)	종합 백화점	의복이나 액세서리 같은 소프트 품목뿐만 아니라 가정용품, 가전제품과 같은 하드 품목들까지 다양한 제품을 취급하는 백화점.
		한정품목 백화점	삭스 피프스 애비뉴(Saks Fifth Avenue)나 니만 마커스(Neiman Marcus)처럼 고급의류, 액세서리, 신발류 등의 소프트 라인 품목만 전문적으로 취급하는 백화점.
	부티크		특별한 전문점으로 한 생산자의 제품만을 다루거나 큐레이트(curate)되어 특별히 선별조딘 제품을 다룸.
	카탈로그 점포		카달로크는 고급소재에서 할인상품까지 상품이 넓은 스펙트럼을 갖고 있어 브랜드를 구축하고 수익성을 얻는 또 다른 소매경로로서의 역할.
	체인점		체인점은 월마트처럼 각 점포들이 그 브랜드 이름하에 운영하게 되는 중앙 집중화된 경영방식의 한 부분으로 더 저렴한 가격으로 소비자에게 나타남.
	직접판매		-직접판매는 판매 대리상들이 자신들의 참여와 관련되는 모든 비용을 부담하고 지출하도록 하지만 반면 동기부여가 잘되어 있고 인적관계가 좋은 판매원들은 상당한 수익을 올릴 수 있는 기회를 제공. -오늘날 에이본(Avon), 메리케이(Mary Kay), 암웨이(Amway), 돈캐스터(Doncaster), 월쓰(Worth)와 같은 업체들.

소매	할인 상품 공급업체	낮은 가격과 오래도니 상품을 판매하는 할인 상품 공급업체가 있음.
	할인가격점포 (off-priced stores)	아직 유행하는 상품들을 제공하는 곳
	할인점 (discount store)	할인점들은 한 시즌 이상 오래된 품목들을 취급함. 점포의 창고나 정리 세일 등에서 나타났던 상품들.
	팩토리 아웃렛 점포 (factory outlet store)	다른 할인가 점포들이 다른 소매상들로부터 상품을 구매하는 별도의 사업체인 데 반해, 팩토리 아웃렛 점포는 나이키 같은 패션 제조업체의 소매 부서. 그들은 또 정가 소매상들의 직판점들일 수 있음.
	프랜차이즈 점포	프랜차이즈는 패션회사와 영리한 소매업자들의 패션사업의 위험보담을 분담함으로써 이익을 얻을 수 있는 기회를 제공하는 형태로, 한명의 기업가와 패션기업이 패션회사 점포를 열고 그 회사의 제품만을 팔기로 동의하며 옷 한 벌 당 일정 로열티 비용을 패션 회사에 지불함. 패션회사는 상품과 브랜드에 관련된 매체와 다른 도움을 기업가에게 제공.
	대규모(big-box) 및 카테고리 킬러(category killer)점포	점포의 물리적인 크기가 보통 20만 평방피트 이상인 곳. 대규모는 판매 형식이고 카테고리 킬러는 상품구색이 전문적임을 의미함. 즉, 카테고리 킬러점포는 한가지나 한정된 상품군을 깊게 취급하여 대형마트보다 저렴하게 판매하는 할인형 대규모 전문점을 말함(저가격 대량판매)
	TV소매상	유명인이나 TV또는 영화배우, 패션 디자이너들이 나와 캐주얼 의류나 화장품 같은 각각 한 종류의 물품을 선전하는 특별한 쇼를 진행함으로써 판촉행위를 함.

	인터넷 소매상	인터넷은 보다 쉽게 소비자들이 쇼핑을 즐길 수 있도록 하는 매체로 단순히 매력적인 상품이나 웹사이트 외에 이행서비스, 주문받기, 처리, 지불, 주문처리, 배송, 반품 처리 등 구매의 실질적인 경험을 소비자에게 매력적으로 만들어야 함. 또한, 소비자들이 '점포'를 찾을 수 있도록 전문적인 마케팅 전략을 세우거나 포털사이트에 노출시켜야 한다.
	멀티채널 소매업자	전통적인 판매 방식과 최신의 혁신적인 판매 방식 모두를 포함하는 멀티채널은 소매 판매자들이 오프라인 점포, 인터넷 사이트, 직접 마케팅 및 판매, 또는 기술/소셜 미디어 중 2개 이상의 수단을 통합하여 소비자들에게 상품과 서비스를 구매하고 배우고 경험할 수 있는 능력을 제공하는 사업방식이자 비즈니스 모델임.

표 22 미국의 소매 주요 유통 채널 및 역할

(나) 온라인 채널 성장

2021년 세계 패션 시장 가치는 7,600억 달러로 의류, 액세서리 및 신발로 구성된 패션은 세계 최고의 전자 상거래 부문으로 부상했다. 향후 5년 동안 온라인 패션은 7.18%의 CAGR로 성장할 것으로 예상되며, 이에 따라 업계는 2025년까지 1조 달러 이상이 될 것으로 전망하고 있다.

2020년 전체 전자 상거래 시장에서 패션 분야 성장률은 26.5%를 유지했지만 의류 성장률은 29.6%로 더 높은 것으로 나타났으며 세계 1조 달러의 섬유 패션 시장은 활성 유료 고객의 점유율과 전자 상거래 소매 패션 판매 비중이라는 두 가지 요인에 의해 결정될 것으로 전망된다.

또 다른 주요 방향은 옴니 채널의 부상으로 다중 채널이 디지털 경험을 연결하는 반면, 옴니 채널은 고객의 전자 상거래 웹 사이트, 소유 소매 위치 및 도매 시장 또는 파트너십의 세 가지 구매 시점이 있는 데이터를 통해 온라인·오프라인 격차를 해소한다

미국 온라인 시장에서 '아마존 패션'의 성장이 주목할 만한데, 거의 모든 조사기관의 데이터가 아마존 패션의 급격한 성장을 보여주고 있다. 앞으로 미국의 가장 큰 의류 판매 기업이 될 것이라 전망하고 있다.
2006년 온라인 쇼핑몰 샵밥(shopbob)을 인수하면서 이후 본격적으로 의류(apparel) 판매에 뛰어 든 아마존은 판매를 시작한지 약 11년 만에 온라인 패션 시장을 평정했다. 2010년에는 신발 전문 쇼핑몰 자포스(zappos)를 인수하였고, 최근에는 사정이 어려워진 대형 패션 기업 아메리칸 어패럴(American Apparel)을 인수한다는 계획을 밝혀 본격적인 종합 패션 기업으로서의 입지를 다지고 있다.

(다) 패션 신속성 강조와 소비자 접점 강화

인터넷 미디어의 발달로 정보소통의 속도가 가속화 되면서 패션트렌드에 대한 대응도 점차 빨라지고 있다. ZARA나 H&M로 대표되는 패스트패션(fast fashion)이 전 세계 의류시장의 하나의 흐름으로 자리를 잡았다.

디자이너 패션 브랜드도 최근 패션쇼 직후 패션쇼 의상을 바로 구매할 수 있도록 하는 획기적인 시도들이 미국을 중심으로 시작되고 있다. 보통 패션쇼에 참여한 관객은 약 6개월 후가 되어야 해당 옷을 구매할 수 있는데 점점 더 많은 소비자들이 '지금 당장' 구매하고자 하는 욕구가 커짐에 따라 디자이너들도 당장 구매할 수 있는 형태로 변화를 꾀하고 있다.

'See-now, Buy-now'로 대표되는 '패션 신속성'의 확대에 따라 랄프로렌(Ralph Lauren), 톰 포드(Tom Ford), 바나나 리퍼블릭(Banana Republic)과 같은 몇몇 브랜드들이 패션쇼에서 선보인 의상을 바로 온라인 매장이나 오프라인 매장에서 구매할 수 있도록 시스템을 구축하였다.

'Tommy Now'는 의류 브랜드 토미 힐피거가 2016년 9월 뉴욕의 South Street Seaport's Pier 16에서 이틀간 토미 힐피거만의 패션위크를 개최하면서 런웨이를 마친 후 런웨이에서 선보인 의상을 토미 힐피거의 오프라인 매장과 온라인 매장에서 동시에 구매가 가능하도록 하였다. 2017년 S/S 컬렉션은 기존 패션위크 스케줄과 별도로 토미 힐피거 매장에서 판매가 가능한 시점에 맞춰 선보인 바 있다. Tommy X Gigi의 콜라보 런웨이가 끝난 직후 100달러 미만의 제품 중 몇몇 제품들은 이미 온라인에서 매진이 되기도 했다.

그림 47 Tommy Now 2017 Spring 여성 런웨이 쇼

미국의 패션유통 시장은 온라인 유통의 확대와 소셜 미디어 및 인디 매거진의 성장, 다양한 이벤트를 통한 소비자와의 접점이 강화되고 있다. 물건을 파는 것으로 그치는 것이 아니라 브랜드 정체성에 기초하여 지속적이고 장기적으로 현지의 소비자, 즉 팬덤과의 관계를 맺어가는 노력이 있을 때, 성공적인 글로벌 브랜드로 미국 시장 진출에 성공할 수 있을 것이다. 따라서 단발적인 마켓 참가 중심의 지원 및 시장 지출 노력으로는 현지화 전략에 있어서 상당한 한계가 작동할 수밖에 없을 것으로 전망된다.

(2) 일본[43]

일본의 의류 시장은 버블경제 붕괴 직전인 1990년대 초에 정점을 찍은 이후 감소일로를 걷고 있다. 일본 경제산업성이 조사한 '2030년을 향한 섬유산업 전망'에 따르면, 일본의 의류 시장 규모는 1991년에 약 15조 3천억 엔을 기록한 이후 지속적으로 하락세를 보여왔으며 코로나19가 확산된 2021년에는 8조 엔까지 떨어져 산업 전체가 축소세를 띠었다.

43) 일본의 의류 시장 동향 / 해외경제정보드림

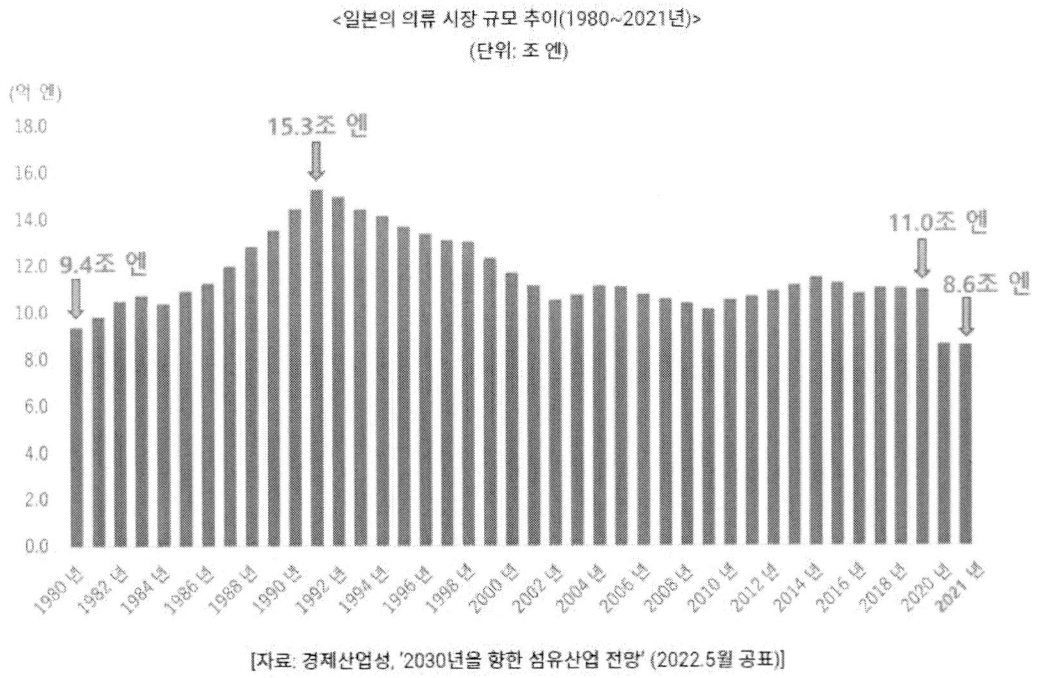

그림 48 일본 의류 시장 규모 추이

의류 시장은 축소세가 지속되고 있지만 일본 내 의류 공급량은 최근 증가 추세를 보이고 있다. 일본섬유수입조합에 따르면, 2021년 일본 국내 의류 공급량(일본 내 생산량+수입량-수출량)은 약 36억 4288만 벌로 전년 대비 2.0% 증가했다. 1990년에 20억 벌 규모였던 의류 공급량이 2021년에는 1.5배 이상으로 증가한 것이다. 의류 시장이 전반적으로 축소되고 있음에도 도리어 공급량은 늘어나고 있어 의류 업체들은 치열한 가격 경쟁 하에 놓이게 됐다.

일본 내 의류 공급량에서 수입 의류가 차지하는 비중도 높아졌다. 1990년대 이후 일본의 의류업체들이 비용 절감을 위해 생산거점을 인건비가 저렴한 개발도상국으로 이전하면서 해외생산 제품이 증가한 결과, 일본 내 수입 의류품 침투율(수입량÷국내 공급량×100%)이 높아진 것이다. 일본 국내 의류 생산량은 매년 감소 경향을 보이는 반변 수입 의류 비중은 꾸준히 증가해 일본 의류시장 내 수입 침투율은 1991년에 51.8%였지만, 2021년은 98.2%까지 증가했다(수량 기준). 현재 일본에서 판매되는 상품들은 대부분 해외에서 생산되고 있는 셈이다.

한편, 일본 의류업계는 코로나19로 인해 큰 타격을 입은 업계 중 하나다. 코로나 사태 장기화로 주요 의류 판매처인 백화점이나 대형마트, 쇼핑센터 등의 기존 매장 축소와 폐쇄가 잇따르며 수요 침체가 계속되고 있다. 일본의 리서치 기관 '업계동향서치'의 조사에 따르면, 2020년~2021년 일본 내 주요 의료 기업 60개사의 매출액 합계는

약 5조 2,751억 엔을 기록했다. 코로나19로 인한 외출 빈도 감소로 소비자의 의류 소비 수요가 감소한 것이 매출 감소의 주요인으로 분석된다. 업계 1위 퍼스트 리테일링의 2020년 매출액은 전년 대비 12.3% 감소했으며 아다스트리아(-17.3%), 월드(-23.7%), 온워드 HD(-29.8%) 등 주요 의류기업의 매출이 큰 폭으로 감소했다. 2020년은 주요 의류 기업 60곳 중 53곳이 감소했고, 36곳이 최종 적자를 기록했다. 일례로 업계 5위인 온워드 HD는 '20년과 '21년에 각각 일본 국내외에서 약 700 매장 씩 폐점시켜, 코로나 19이전에 약 3000개였던 매장수가 코로나 이후 거의 절반으로 줄었다.

코로나19 확산에 따라 기존의 백화점이나 의류 전문매장 등의 오프라인 매장에서의 의류 구입을 선호하던 일본 소비자의 소비 행태가 크게 변화했다. 외출을 자제하는 소비자가 늘어나면서 온라인 쇼핑몰에서 의류를 구매하는 소비자가 크게 늘어 의류 전자상거래(E-Commerce, EC) 시장이 크게 성장했다. 코로나 이전에도 인터넷과 스마트폰, SNS 이용 확대를 배경으로 의료 EC시장은 지속적으로 성장해왔으나 코로나19가 발발한 2020년에는 온라인을 통한 의류 구매율(EC증가율)이 19.4%까지 상승했다. 일본 주요 의류기업들도 오픈마켓이나 자사 독립몰 등 전자 상거래 플랫폼 등 온라인 판매채널을 강화하고 있어 향후 온라인 의류시장은 더욱 확대될 것으로 전망된다.

(3) 인도네시아[44]

인도네시아는 최근 떠오르는 온라인 유통시장으로 주목 받고 있으며, 시장의 수익성은 지난 수년간 지속적으로 증가세를 보이고 있다. 온라인 쇼핑의 시장점유율이 오프라인 유통망의 점유율에 비해 낮은 편이나 온라인 판매는 계속해서 증가하고 있다.

한국콘텐츠진흥원에 따르면 패션 구매의 온/오프라인 비중은, 2018년 오프라인 구매가 90%이상을 차지했으나 코로나 펜데믹이 시장되는 2020년을 기점으로 온라인 구매 비중이 20% 이상으로 증가하며, 2021 년에 34%로 정점에 도달한 이후 2025년까지 20% 중반 수준을 유지할 것으로 예측됐다.

WTO에 따르면 인도네시아는 의류 수출 상위 10위 국가(중국, 유럽, 베트남, 방글라데시, 터키, 인도, 말레이시아, 영국, 홍콩, 인도네시아 순)로 2020년 기준 76억 달러(약 9조 6,000억 원)의 수출을 기록했으며 이는 세계 의류 수출액 중 1.7%에 해당한다.

44) 한국콘텐츠진흥원

4

패션 시장 분석

4. 패션 시장 분석

일반적으로 의류 산업 사이클은 (a)맞춤복 시장→(b)기성복 시장→(c)중소기업형 브랜드 시장→(d)글로벌 수입 브랜드 및 명품 시장→(e)차별화된 패션 브랜드 공존의 주기를 거치는 것으로 파악된다. 현재 한국은 (d)글로벌 수입 브랜드 및 명품시장과 (e)차별화된 패션 브랜드의 과도기를 거치는 단계이다.

2022년 국내 패션시장 규모가 전년 43조 5,292억 원 대비 5.2% 상승한 45조 7,787억 원을 기록했다. 금년도 국내 패션시장은 빠른 일상 회복과 소비심리 회복으로 상·하반기 모두 성장하며, 2년 연속 플러스 성장세를 기록했다. 패션기업의 고급화, 가치화, 차별화 전략에 따른 영업 실적의 뚜렷한 회복 또한 성장 원인으로 지목된다.

국내 패션시장은 복종별로는 캐주얼웨어, 신발, 남성정장, 스포츠웨어 순으로 성장세가 두드러졌다. 캐주얼웨어 시장은 국내 패션시장에서 가장 큰 규모를 차지하며, 시장을 주도하고 있다. 여기에 새로운 성장 동력이 된 스트리트 감성의 패션캐주얼과 스포츠 캐주얼 고객이 증가하면서 전년대비 6.7% 성장하며, 18조 원을 훌쩍 넘었다.

2000년대 후반 국내 패션시장에 SPA브랜드들이 진출하고 빠르게 성장하면서 패션시장도 판도가 바뀌었다. 저성장 시대에 가치소비 트렌드가 확산되면서 많은 소비자들이 SPA브랜드에 관심을 집중하고 있다. 국내 여성복, 캐주얼 브랜드 다수는 소비자들로부터 멀어지면서 사업적, 재무적으로 타격을 입었으며, 지금도 SPA시장은 성장을 거듭하며 기존 브랜드들에 위협요소가 되고 있다.

이러한 시장 환경에서 가격경쟁력을 보유한 중소규모의 온라인 의류전문 쇼핑몰을 중심으로 온라인 패션시장이 꾸준히 성장하고 있으며, 대형마트 등 비패션 유통업체들의 의류 판매 규모가 확대되고 있다. SPA브랜드의 위협과 더불어 기존 패션업계를 위협할 요소가 또 나타난 것이다.

본 장에서는 이러한 패션시장 트렌드를 살펴보고 국내외 패션 시장을 알아볼 것이다.

가. 국내

2022년 올해 국내 패션시장은 전년대비 5.2% 성장한 45조 7,787억 원을 기록했다. 한국섬유산업연합회는 패션기업의 고급화·가치화·차별화 전략에 따른 영업 실적의 뚜렷한 회복을 성장 원인으로 지목했다. [45)]

복종별로 살펴보면 가방(-0.1%), 내의(0.0%)을 제외하고 모두 성장할 전망이다. 올해 아동복이 6.8%로 성장률이 가장 높다. 캐주얼복(6.7%), 남성정장(6.1%), 신발(5.3%), 여성정장(4.9%) 순으로 성장세가 두드러졌다.

가장 큰 비중을 차지하는 캐주얼은 전년대비 6.7% 성장해 18조원을 넘었다. 스트리트 감성 패션 캐주얼과 스포츠 캐주얼 고객이 증가하면서 거래가 증가했다. 두 번째 시장규모가 큰 신발시장은 럭셔리 브랜드와 스포츠 전문기업의 패션운동화에 대한 MZ세대가 소비를 주도했다. 작년 9%대 성장에 이어 올해 5.3% 늘어나 7조원을 넘었다.

정장시장은 클래식한 수트 정장의 지속적인 인기로 남녀시장 모두 성장했다. 남성정장 부문은 4.7조원, 여성정장 부문은 3.2조원을 기록했다. 3년 연속 마이너스 성장했던 스포츠복 시장은 일상생활 회복과 야외활동 증가로 4년 만에 4.1% 플러스 성장해 6조원대를 회복했다.

의류(패션)산업은 국내 경기변동에 대한 민감도가 높은 편인데, GDP성장률, 민간소비 증감률 등 주요 거시지표 추이와 유사한 흐름을 보인다. 그러나 최근 의류업의 성장률은 GDP나 민간소비의 증가율을 지속적으로 밑돌고 있다. 2008년 금융위기 이후 비교적 큰 폭의 성장세를 시현하기도 했지만, 2012년 이후로는 급격히 둔화되고 있다. 2015년과 16년에 4%이상 성장을 달성했지만 2017년에 정치적 경제적 상황으로 1.6%감소하는 모습을 보였다. 2019년과 20년에 감소하는 추세를 보이다가 2021년에는 상승할 것으로 예상한다.

[46)]

---

45) 한국섬유신문
46) 코로나 시대 성장 멈춘 패션 시장, 2020년 39조 4,376억원, -5.3%↓, 패션서울, 2020.08.10

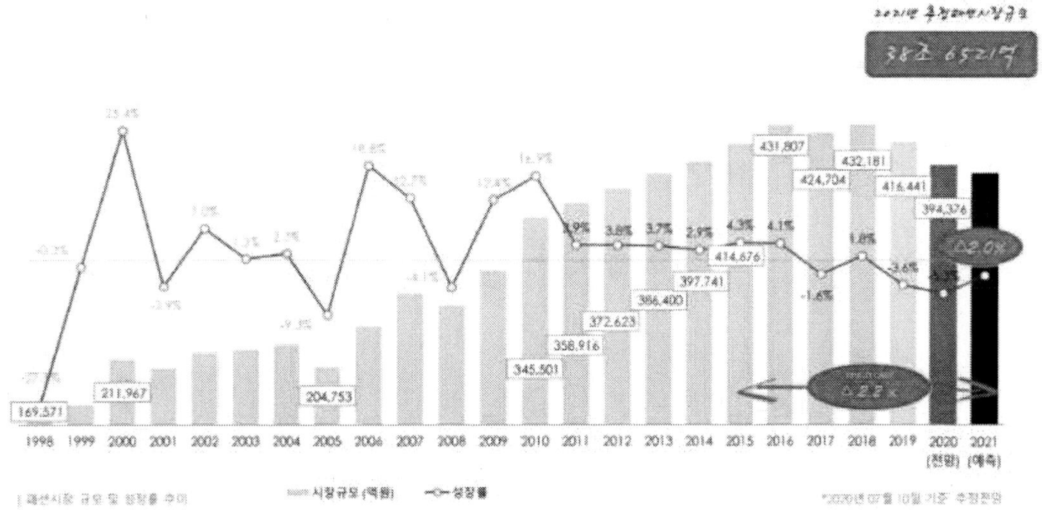

그림 50 국내 패션시장 규모 및 성장률 전망 추이

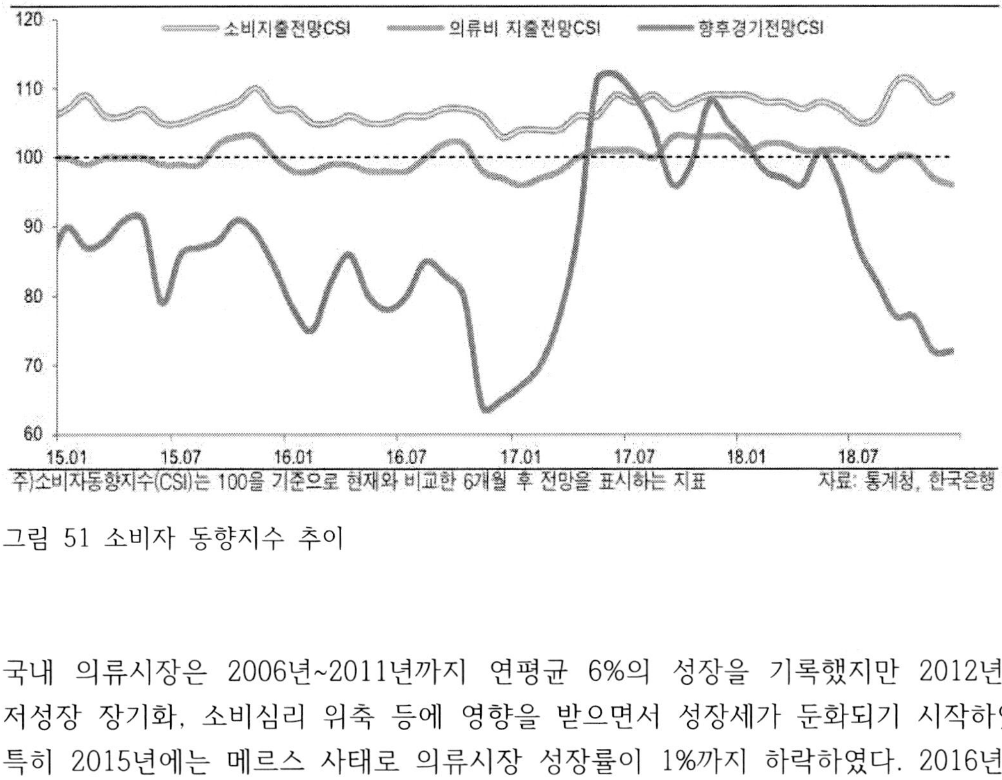

[47]

그림 51 소비자 동향지수 추이

국내 의류시장은 2006년~2011년까지 연평균 6%의 성장을 기록했지만 2012년부터 저성장 장기화, 소비심리 위축 등에 영향을 받으면서 성장세가 둔화되기 시작하였다. 특히 2015년에는 메르스 사태로 의류시장 성장률이 1%까지 하락하였다. 2016년에는 SPA, 캐주얼 부문의 성장에 힘입어 성장률이 다소 회복되었으나, 2017년 탄핵 정국과 중국의 사드보복으로 국내 의류시장 성장률은 1%대로 저하되었다. 정치적 불확실성 해소와 사드 갈등 완화로 2018년 국내 의류시장 규모는 전년대비 1.5% 성장한 42조 원으로 추산되었다.

47) 2019 IO의류, 한국신용평가, 2019.01.17.

미중 무역분쟁, 금리인상, 가계부채 증가 등 전반적인 경기 불화용인이 산재되어 있는 가운데, 향후 경기전망 CSI는 2018년 1월 102에서 2018년 12월 72로 대폭 감소하였다. 의류비 지출전망 CSI는 2018년 1월 101애서 2018년 12월 96으로 하락세인 가운데, 여전히 기준값인 100 내외를 유지하고 있어 2019년 국내 의류시장은 전년 수준의 저성장이 예상된다. 다만, 저성장 국면에서도 업체별 온라인 유통채널 대응능력과 사업 다각화 전략에 따라 실적은 차별화될 전망이다.

1) 복종별 시장 현황[48)]

가) 아웃도어

아웃도어 업계는 코로나19 엔데믹으로 사람들의 야외활동이 증가하면서 시장 규모가 커지고 있다. 리딩 9개 브랜드 상반기 평균 매출은 22.5% 올랐다. 노스페이스와 디스커버리 익스페디션, K2 등이 리딩했다. 상반기의 경우 사회적 거리두기가 해제된 4월 이후 보복 소비가 증가했다. 업계는 소비 주축인 4050세대를 비롯해 2030세대가 성장을 이끌고 있다는 분석이다.

나) 골프웨어

골프웨어를 비롯해 골프장, 골프클럽까지 포함한 국내 골프시장 규모가 21년 기준 12조에 달한다. 그중 골프웨어시장은 전 세계 압도적 1위를 차지한다. 국내 전체 골프시장의 50%에 육박한다. 한국레저산업 연구소에 따르면 내년 골프웨어 시장은 6조 3000억 원으로 예측했다. 골프를 단순히 스포츠로 인식해 별도 복장이 없는 미국, 유럽과 달리 한국과 일본은 비즈니스와 문화로 인식, 골프웨어 조닝이 유독 발달한 것이 원인이다. 세계 골프장 보유 비중이 42%에 달하는 미국은 골프웨어 시장이 1조 3000억 원, 일본은 9400억 원 수준이지만 한국은 골프장 보유 비중이 단 2%이지만 골프웨어 시장은 2021년 기준 5조 7000억 원을 기록했다.

국내 골프웨어시장 내에서 글로벌 인지도를 가진 브랜드와 퍼포먼스를 강조한 브랜드가 강세를 보인 가운데 영 골퍼들의 진입으로 지난 몇 년간 신생 골프웨어 브랜드의

48) 2022년 하반기 복종별 경기전망 - 소비자 지갑 '열릴까' vs '닫힐까' 안개 국면 / 한국섬유신문

신규 진입이 대거 이루어진 현상도 독특하다. 고가와 중저가로 뚜렷한 양극화 현상이 심화됐다. 오프라인 중심이었던 기존 골프웨어 시장이 온라인으로까지 확산, 유통 채널의 다각화와 스크린 골프장 확산, 퍼블릭 전환 증가에 힘입어 대중화가 가속됐다. 일상에서도 입을 수 있는 라이프스타일군의 강세가 뚜렷해진 배경이다.

향후는 국내 골프웨어 시장 특성상 백화점 중심으로 재편성됨(프리미엄아울렛 포함)과 동시에 골프장 프로샵에서 용품 외 의류나 골프화 등 패션상품을 구매하는 고객이 늘어나는 추세를 반영해 다양화된 브랜드 구성과 채널이 표준으로 자리 잡을 것으로 전망된다. 프로샵의 주 고객은 구매 횟수와 빈도가 높은 40~60대 여성이 주류를 이룬다.

원부자재 상승과 인플레이션 영향에도 골프웨어 시장은 큰 타격은 없을 것으로 판단된다. 타 복종에 비해 배수 구조가 어느 정도 확보되어있는 시장이기 때문이다. 원가 상승분만큼의 소비자가 변화에도 프리미엄 이미지가 강해 큰 소비자 이탈은 없을 것으로 전망된다

다) 여성복

지난 4월 중순부터 리오프닝 본격화에 따라 실적 호조 분위기가 상반기까지 이어졌다. 시니어층까지 외출을 늘리면서 역대 최고 매출을 올리는 등 19년 수준 이상의 회복세를 보인 곳들도 속속 기록 경신을 이어갔다. 올해까지는 그동안 억눌렸던 소비심리가 쉽사리 꺾이지 않을 것이라는 긍정적 흐름이 이어지고 있지만 코로나 재 확산 우려와 인플레이션 영향으로 업계는 긴장의 끈을 놓지 못하고 있다. 오피스룩과 출근룩을 위한 셋업류의 호조세가 이어지는 가운데 집밖 생활으로의 변화에 따른 캐주얼룩 비중도 50%이상으로 크게 확대 된 상황이다. 또 시즌 세분화에 따른 간절기 공급량도 증가해 시장 추이에 탄력적으로 반응하는 분위기다.

원면 가격 폭등, 운임비, 원부자재 가격 상승, 여기에 공임비 상승까지 전방위적 인플레이션 영향으로 여성복 기업들은 하반기부터 상품 소비자 가격 인상이 불가피할 것으로 전망했다.
생산원가가 기존보다 최소한 10~20%가량 뛰어 기존 배수를 적용하면 가격 인상은 불가피한 상황이다. 현재까지는 여행 수요 뿐 아니라 상하의 착장을 구매하는 객단가 높은 고객도 늘어 물량이 부족한 매장도 있지만 하반기부터 체감하게 되는 고물가, 금리상승으로 가처분 소득이 떨어지면 소비여력도 하락세로 전환할 것이라는 전망으로 허리띠를 졸라매야 한다는 예측이 우세하다. 실제로 6월 중순부터 소비 상승세가 둔화 추세라 투입되는 생산금액에서 오른 만큼의 원가율을 감안해 생산량 자체를 늘

리지는 않을 것으로 예상했다. 또 중국발 생산지연 악재를 겪었던 만큼 리오더 물량도 소극적으로 운영한다. 추가 물량 투입도 보수적이다. 브랜드 로얄티를 확보하지 못한 브랜드는 소비자에게 가격 전가를 할 수 없어 이중고를 겪을 것으로 전망된다. 쉽사리 소비자가를 올리지 못하는 상황에서 원가율이 올라 브랜드들 대부분은 마진이 줄어 들것으로 예상했다. 올 하반기까지는 억눌린 소비 폭발로 어느 정도의 성장세를 이어가기는 하겠으나 코로나 재확산 여부와 인플레이션 완화에 따라 시장 추이를 지켜봐야한다는 것이 중론이다.

라) 유아동

유아동 시장은 성인 아웃도어와 캐주얼 기업들이 유아동 시장을 선점하고 있다. 기존 유아동 전문 기업들은 성장이 둔화되면서 입지가 줄어들고 있다. 캉골키즈, 내셔널지오그래픽키즈, MLB키즈 등 성인 패션 브랜드가 출시한 아동복 브랜드가 성장을 이어가는 추세다. 또 트라이씨클의 보리보리몰과 이랜드리테일의 키디키디 등 온라인 플랫폼 성장이 두드러지고 있다. 보리보리와 키디키디는 올 1분기 매출이 전년대비 40% 이상 성장했다.

하반기도 이 같은 추세가 계속될 것으로 전망된다. 이에 유아동 전문 기업들은 해외시장을 겨냥하며 경쟁력을 높일 것으로 전망된다. 한세엠케이에 합류된 모이몰른, 컬리수 등은 아동복 사업 분야에서 정체성을 차별화한 신규 프로젝트로 성장을 이어간다는 전망이다. 업계 관계자는 "하반기에는 지속적으로 하락하는 출산율에 성장이 둔화된 기업들이 매물로 나올 가능성이 높다"고 전했다.

코로나19 이후 이어진 편안함과 실용성을 중시하는 트렌드는 하반기까지 인기를 끌 것으로 전망된다. 활동량이 많은 아이들을 위한 유아동복은 애슬레져 및 원마일웨어, 액티브 웨어 상품군에 대한 수요가 꾸준히 이어질 것이다. 지난 5월부터 등교 정상화가 이루어지며 관련 시장의 수요가 높아졌다. 하반기 역시 이 같은 흐름이 이어질 것으로 예상된다.

마) 캐주얼

캐주얼 하반기 전망은 MZ세대를 타깃으로 한 마케팅을 얼마나 잘 구사해내느냐에 따라 희비가 엇갈릴 수도 있다는 전망이 나온다. 각 사들은 온라인이나 오프라인을 통한 유통망 전개가 기준이 된 만큼, 집객력을 높이기 위한 다양한 콘텐츠를 적극 개발, 활발한 전략구사를 해나가야 할 것으로 보인다. 백화점 3사가 내놓은 직 전개 캐

주얼 조닝은 브랜드를 리더하며 기대감을 부풀린다. 더욱이 브랜드 커뮤니티로 제안한 백화점의 자체 편집매장은 동 복종의 매출을 견인하며 이미 자리 굳히기에 성공했다는 평가다.

현대는 백화점 3사 중 캐주얼 브랜드 발굴을 선점하며 캐주얼 PC 리뉴얼에 안착했다는 평가다. 온라인 캐주얼 브랜드가 쌓아놓은 팬덤을 백화점으로 흡수시킨 것이다. 백화점의 고객 유인작전은 과거 팝업 제안 시대를 넘어, 놀 거리를 제공한다. 여기에는 첫 번째 체험, 새로운 경험 공유를 제안한다는데 있다. 2010년대 초반 팝업은 매출 상승 수단이었다. 새 브랜드에 대한 고객 반응을 즉각적으로 살펴볼 수 있기에 판매 추이 분석과 마케팅 전반을 견인하고 입점도 안내했다. 팝업스토어 이후에는 매출 효과를 증명해 보이기도 했다. 타깃 고객을 공략한다는 것 보다, 자체 이미지 각인에 더 무게가 실렸다.

지금의 백화점 팝업은 '소통'이다. 이색적 경험 속에 최신 트렌드를 찾는 민감한 MZ세대를 타깃 한다. 94년생 밀레니얼세대(M세대)와 2004년생 Z세대를 통칭, 과거 어느 시대나 젊은 층은 존재했지만, MZ는 하나같이 개성이 강한 편이다. SNS와 온라인 플랫폼을 자유롭게 다루고, 개개인만의 독특한 취미와 취향을 공유하는 것을 즐긴다.

코로나19 장기화로 오프라인 경험에 대한 갈증이 고조되기도 했다. 차별화된 공간에서 독창적인 마케팅을 시도하며, 브랜드를 넘어 이색 공간을 더한 콜라보 형태의 팝업이 눈에 띈다. 롯데와 신세계 역시 하반기 점포별 캐주얼 조닝의 MD를 개편한다.

바) 남성복

남성복은 다양한 소비층의 억눌려진 소비 심리로 상반기 매출이 전년비 15% ~ 20% 신장세를 거두고 있다. 극도로 위축됐던 소비 시장이 다시 활성화된 만큼 신장세는 하반기까지 이어질 것으로 기대된다. 주요 판매된 품목은 코로나19로 구매가 적게 일어나던 정장군으로 매출 증가 추이를 보였다. 또, 하반기에도 수트 매출 신장이 예상된다. 이에 따라 예복 등으로 수요가 유지되는 고급화, 차별화 제품에 집중하고 저가 기본 제품들은 물량을 줄일 예정이다.

인플레이션, 금리인상, 환율 상승 등으로 하반기 경기침체를 예상된다. 상반기까지는 코로나 영향으로 원가 상승이 반영되기 어려웠으나, 인플레이션과 금리 인상으로 하반기 옷값은 10% 정도 상승이 불가피할 것으로 보고 있다. 원자재 가격과 임가공 가격이 모두 상승했기 때문이다. 남성복 전문 기업은 23SS 시즌에 옷값 상승이 더 많

은 아이템에 적용될 것이라고 밝혔다.

또, 기업은 중국에 의존도가 높은 원자재와 부자재 추가 공급이 어려운 상황으로 리오더 생산을 크게 기대하지 못하고 있다.
일부 업체들은 해외생산 일정이 원활하지 않을 것을 대비해 국내 생산 업체를 활용해 원가상승이 발생하더라도 적시에 주력상품을 공급할 예정이다. 업체들이 몰릴 경우 국내 생산 공장은 포화 상태일 것으로 예상된다.

2) 향후 트렌드

[2023년 패션시장 Keyword : D.I.V.E.I.N. (몰두하다)]

Business	Dopamine Business : 패션, 즐거움을 제공하라
Market	Interesting YOLD : YOLD에서 찾는 기회
Style	Void of Mega-trend : 메가 트렌드의 부재
Consumer	Evaluating Budget & Desire : 절제와 소비욕 간 끊임없는 저울질
Brand	Irreplaceable Brand : 대체불가능한 브랜드
Solution	No Risk, No Chance : 위기는 곧 기회

그림 52 삼성패션연구소

패션업계는 그 어떤 시장보다 트렌드에 민감하고 유행주기가 빠르다. 특히 올해는 고물가·고금리·고환율 등 이른바 '3고(高) 현상'이 해소되지 않아 소비심리가 위축될 것이란 변수도 남아 있다. 이에 올해(2023)는 패션시장에 어떤 키워드가 떠오르고, 각 기업들은 어떻게 대비에 나서고 있는지 전망해 봤다.

삼성패션연구소에 따르면 올해 패션시장 키워드는 '다이브 인(D.I.V.E.I.N)'으로 선정

D는 '도파민 비즈니스(Dopamine Business)'로 불황기일수록 패션 매장이나 온라인 사이트를 방문한 소비자들이 흥미로운 보물찾기를 하듯 즐거움을 줄 수 있는 도파민 리테일 전략이 필요하다는 설명이다. 삼성물산 패션부문은 자사몰인 SSF샵에 '실시간 랭킹' 코너를 도입, 현재 가장 잘 팔리는 상품과 검색 등의 랭킹을 보여주며 소비자들에 '구경하고 발견하는 재미'를 선보이는데 집중하고 있다.

I는 '욜드에서 찾는 기회(Interesting YOLD)'다. 욜드는 젊은 층(Young)과 노령층

(Old)의 합성어로 '젊게 사는 시니어'를 뜻한다. 이들은 높은 안목을 바탕으로 자신의 개성을 표출해 최근 강력한 소비 주체로 떠오르고 있다. 세정은 욜드족을 타깃으로 한 브랜드를 주력으로 밀고 있는 중이다. 이 회사는 지난해부터 새로운 상품 디렉팅을 통한 트렌디한 디자인과 가수 임영웅 등 중장년층에 인기가 높은 스타를 내세워 소통에도 적극 나서고 있다.

V는 '메가 트렌드의 부재(Void of Mega-trend)'로 취향에 기반한 다양한 소비가 복합적으로 나타나고 있는 만큼, 빅 브랜드보다는 정체성이 확고한 브랜드가 사랑을 받을 것이라는 뜻이다. 무신사는 PB(자체 브랜드)를 통해 SPA(패스트패션) 시장에 성공적으로 안착, 지난해에만 2000억원의 매출을 올린 것으로 전해진다. 또 송지오인터내셔널도 '확고한 브랜드' 정체성을 바탕으로 매년 매출액이 우상향 중이다. 2020년 810억원, 2021년 860억원, 지난해에는 900억원으로 추정된다.

E는 '절제와 소비욕 간 저울질(Evaluating Budget & Desire), I는 '대체불가능한 브랜드(Irreplaceable Brand)'다. 불황기 또는 저성장기가 지속되는 상황에서 소비자들이 절제와 소비를 저울질 하며 가장 효용이 높은 제품을 선택할 것이고, 결국엔 '꼭 선택해야 하는 이유'가 더해진 브랜드만이 생존하게 된다는 전망이다.

이에 전문가들은 '저렴한 제품'과 '고급 제품'으로 소비 형태가 양분될 것으로 내다봤다. 이수진 서울대 트렌드분석센터 연구원은 "합리적인 가격을 추구하는 SPA 브랜드와 고급화 전략을 내세우는 브랜드로 고객이 쏠릴 것으로 보인다"고 말했다.

N은 '위기는 곧 기회(No Risk, No Chance)로 새로운 성장동력이 될 수 있는 비즈니스에는 투자를 단행하며 외형 성장의 기반을 마련해야 한다는 의미다. 최근 일터 문화가 변하면서 편안하면서도 어디에나 어울릴 수 있는 오피스룩을 찾는 소비자들이 늘어나는 현상에 주목한 패션기업들은 '캐주얼한 오피스 룩'을 잇달아 출시하는 모습이다.

임지연 삼성패션연구소장은 "경기 불황이 예고되며 패션시장의 어려움이 예견된다"며 "올해 넥스트 스텝을 위한 청사진을 그렸다면, 올해는 본격적으로 뛰어들어 '몰두(Dive in)'해야 하는 시기"라고 강조했다.[49]

49) [키워드로 분석한 2023] 올해 패션시장 키워드는 'D.I.V.E I.N' / 아시아투데이

가) 온라인 패션 시장 성장[50)]

온라인 패션시장은 성장을 지속하고 있고, 2022년 2/4분기 온라인 쇼핑 패션 상품군 거래액은 1조 5,108억 원을 기록하였다. 백화점을 보유한 유통업체들과 대기업계열 의류업체들이 오프라인을 넘어 온라인몰까지 운영하고 있고, 온라인몰 전용 의류 쇼핑몰 및 온라인을 기반으로 오프라인까지 진출한 업체들이 다수 존재한다. 그 외 소셜커머스, 해외직구 등을 통한 의류 및 패션제품의 판매 비중의 높은 성장세도 유통채널의 변화를 주도하고 있다.

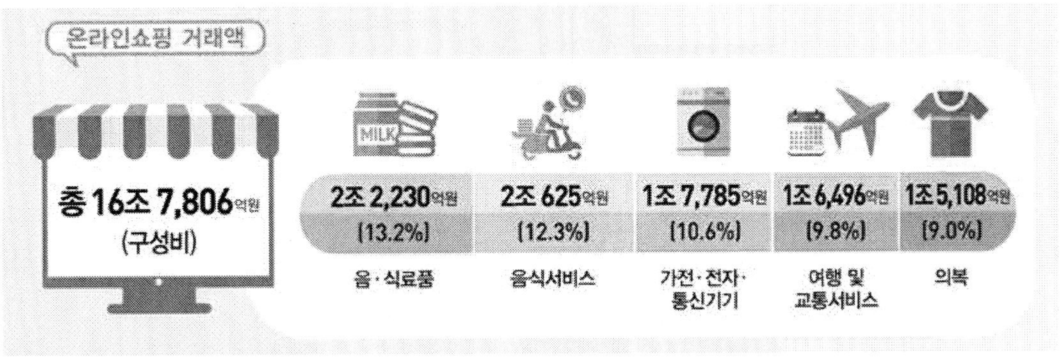

그림 53 온라인쇼핑동향

온라인 기반의 의류쇼핑몰들의 성장 추세가 두드러지고 있는데 대표적으로 스타일난다를 운영하는 ㈜난다의 경우 오프라인 및 백화점 상권까지 진출하고 화장품 브랜드를 런칭한 가운데, 현재 중국시장까지 진출해 가시적 성과를 내고 있다. 또한 난닝구닷컴을 운영하고 있는 ㈜엔라인은 높은 성장세와 수익성을 기록하며 Pre-IPO 및 IPO(기업공개) 절차를 진행중이다. 이처럼 일부 온라인 전용 쇼핑몰의 경우 기존 제도권 브랜드들보다 더 높은 인지도와 영업실적을 시현하면서 이들에게 위협요소가 되고 있다.

50) 2022년 6월 온라인쇼핑 동향 / 통계청

	2021년		2022년		전월대비		전년동월대비	
	연간	6월	5월p	6월p	증감액	증감률	증감액	증감률
- 패 션	482,164	40,448	44,009	40,991	-3,017	-6.9	543	1.3
· 의복	166,428	13,966	16,230	15,108	-1,122	-6.9	1,142	8.2
· 신발	28,833	2,830	3,031	3,059	28	0.9	229	8.1
· 가방	32,418	2,530	2,910	2,949	39	1.3	419	16.6
· 패션용품 및 액세서리	24,295	2,001	2,247	2,310	63	2.8	309	15.5
· 스포츠·레저용품	58,616	5,009	5,955	5,245	-710	-11.9	236	4.7
· 화장품	121,734	10,278	9,098	8,271	-827	-9.1	-2,007	-19.5
· 아동·유아용품	49,841	3,834	4,537	4,049	-489	-10.8	215	5.6

표 23 상품군별 온라인쇼핑 거래액

모바일 패션시장은 코로나19를 계기로 빠르게 성장했다. 모바일 패션 거래액은 2020년 3%, 2021년 18.2% 증가했다. 비대면 소비 트렌드가 확산하자 패션 채널의 모바일 비중이 상승했기 때문이다. 디지털 친화적이고 트렌드에 민감한 MZ세대는 물론 4, 50대까지도 모바일 쇼핑에 친숙해지면서 패션 채널에서 모바일 시장의 중요도가 높아졌다.

또한, 점차 오프라인과 온라인 및 모바일의 경계가 모호해지는 추세로, 오프라인에서는 압구정동, 가로수길, 홍대, 명동 등의 트렌드 주도적인 상권의 대형 플래그쉽 스토어에서 트렌디한 패션 제안과 경험을 제공하고, 이후 소비자들의 온라인과 모바일에서 구매확대를 유도하고 있다.

나) 해외 직접 판매 및 구매

2022년 2/4분기 온라인 해외 직접 판매액은 전년 동분기대비 58.6%(7,170억 원) 감소한 5,060억 원을 기록했다. 2022년 2/4분기 온라인 해외 직접 구매액은 전년 동분기대비 16.1%(1,808억 원) 증가한 1조 3,021억 원을 기록했다.

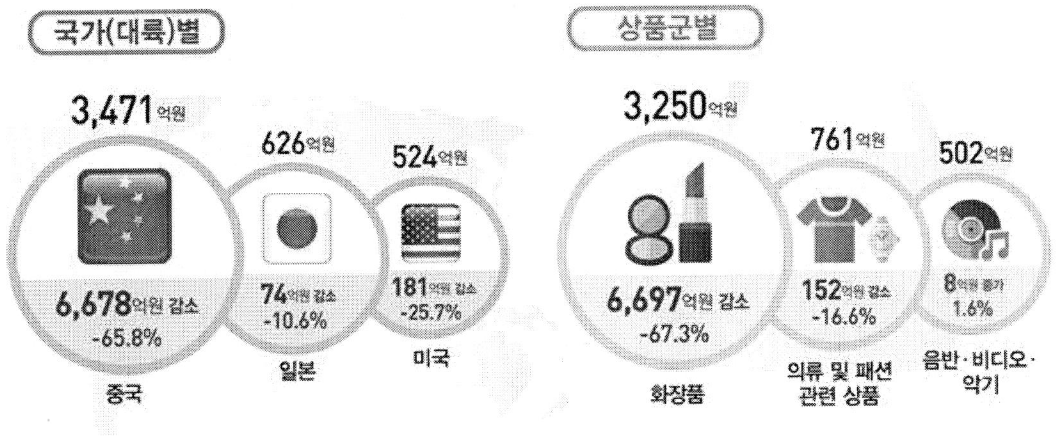

그림 54 해외 직접 판매

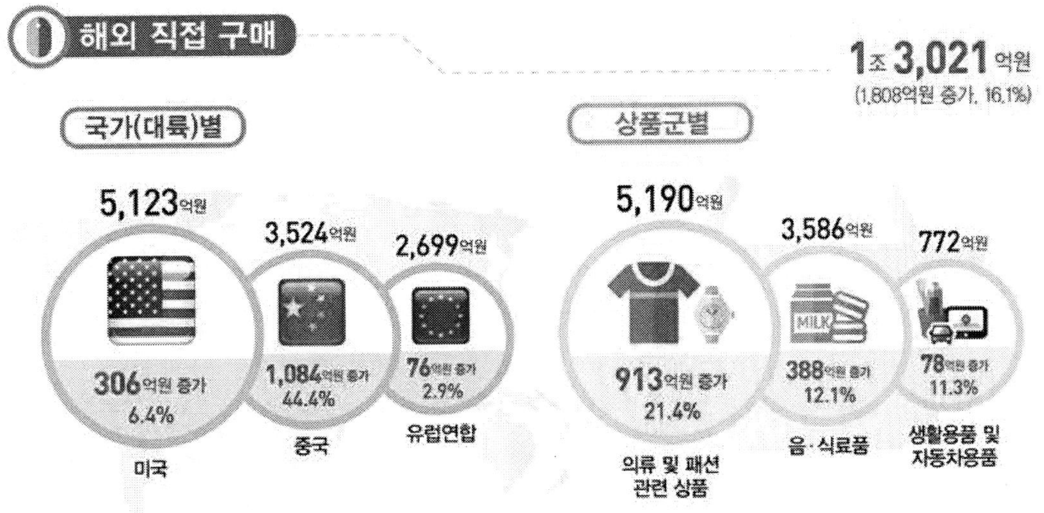

그림 55 해외 직접 구매

다) 경험 소비

소비자들은 단순히 물건을 구매하기 위한 소비보다, 경험을 동반한 소비에 대해 높은 만족도를 느끼고 있다. 최근 SNS의 발달로 자신의 일상을 공유하는 소비자들이 늘어나면서 만족스러운 소비경험에 대한 소비자들의 니즈가 커지고 있다. 남들과 공유하고 싶은 소비를 찾아 직접 경험하고 이를 알려주는 행위 자체를 즐기는 것이다.

최근 대규모 스포츠 브랜드들은 강남 등지의 플래그쉽 스토어에서 피트니스, 요가 클래스 등을 운영하고 있고, 마라톤 대회 등을 개최하면서 소비자의 운동 경험이 자사 브랜드 구매로 이어지도록 유도하고 있다.

또한 주요 상권에 라이프스타일 등의 복합 문화공간을 설치해 이곳에서 동사의 브랜드와 상품들을 이용한 소비자의 DIY를 유도함으로써 향후 구매를 유도하고 있다. 소비자가 공감할 수 있는 스토리와 체험을 제공하고, 이러한 소비자의 경험이 구매로 연결될 수 있게 하는 것이다. 이 과정에서 다변화된 유통채널 간의 시너지 효과가 개별 업체 실적에 어떠한 영향을 미치게 될지 주목하고 있다.

라) 의류시장 세분화 및 의류산업 경계 확장

소비양극화와 가치소비 트렌드에 따라 의류시장이 더욱 세분화되면서도, 의류산업의 경계는 더욱 확장되고 있다. 세분화된 시장에서는 동일 복종, 동일 브랜드 내 일지라도 타깃 대상별 라인 분화 여부 및 아이템별 유동망 차별화 여부 등에 따라 개별 업체의 실적차별화가 이루어질 것으로 예상된다.

한편 의류산업은 의복에만 한정되었던 경계가 무너지고 있으며, 다양한 경험을 원하는 소비자들의 라이프스타일 트렌드가 중시되고 있다. 의류 구매에 한정되지 않고 홈퍼니싱, 컬쳐, 뷰티, 건강 등까지 경험할 수 있는 컨텐츠 확장이 앞으로 활발히 전개될 것으로 예상된다.

마) 메타패션

정부가 소셜네트워크서비스는 물론 여타 온라인상에 업로드 된 인물사진에 착장 가능한 디지털용 '메타패션' 시장 개척에 나섰다. 메타패션 시장은 메타버스 시장 확대와 맞물려 2030년 550억 달러 규모로 급성장 할것으로 예상된다.

정부는 서울 삼성동 섬유센터에서 산업정책실장, 유명 패션디자이너, 섬유패션·IT업계, 외교단 등이 참석한 가운데 국내 최초 메타패션 출시행사를 개최했다. 이번에 제작된 디지털의류는 KT가 구축한 메타패션 플랫폼인 '메타 클로짓(Meta Closet)'에서 증강현실(AR) 착장 체험 및 사진촬영 등으로 활용 가능하다. 정부와 KT는 반년여간의 시범서비스 기간 동안 30벌의 디지털 의류에 대해 AR 착장, 착장사진 촬영, SNS 업로드 등 모든 서비스를 무료로 제공한다고 밝혔다. 정부는 이날 공개한 디지털 의류 중 3벌은 실물 의류로 제작하는 등 메타패션 서비스로 향후 온라인과 오프라인을 연결하겠다는 방침이다.

정부는 또 내년 2분기께 해당 서비스가 정식 개시되면 오픈형 메타패션 플랫폼으로 전환해 디자이너가 자유롭게 창작물을 올릴 수 있게 할 방침이다. 산업부는 향후 메

타패션 창작과 판매를 지원하는 '메타패션 플레이그라운드(가칭)'를 구축하는 한편 패션과 정보통신기술(ICT) 융합형 인력 양성 사업도 적극 전개할 계획이다.

주영준 실장은 "디지털 시대를 맞아 섬유패션이 제조의 틀에서 벗어나 서비스나 콘텐츠 산업으로 진화하고 있으며 이 중 메타패션은 성장잠재력이 매우 크다"며 "우리가 패션뿐 아니라 디지털에 강점이 있는 만큼 블루오션인 메타패션에서 글로벌 브랜드를 창출하는 한편 실물과 디지털이 연계된 섬유패션산업 생태계 조성에도 힘을 쏟을 것"이라고 밝혔다.[51)]

바) 양심적 패션 시장 성장세[52)]

양심적 패션이란 환경을 고려해 옷을 만들고 소비하는 것을 뜻하는 말이다. 시장조사업체 리서치앤드마켓에 따르면 전 세계 양심적 패션 시장의 규모는 2019년 63억5000만달러(약 7조6100억원)에서 2023년에는 82억5000만달러(약 10조원) 규모로 성장할 것으로 전망했다.

이에 패션업계는 재활용을 넘어선 '새활용(업사이클링)' 제품을 적극 선보이며 소비자들의 눈높이에 호응하는 모습을 보이고 있다. 새활용은 매립 및 소각되는 쓰레기의 양을 줄이고 자원 낭비를 방지할 수 있어 최근들어 더욱 각광을 받고 있는 친환경 노력의 일환으로, 사회적 문제에 대한 경각심과 새활용에 대한 관심이 높아지며 패션업계의 화두로 자리잡고 있다. 앞으로도 친환경 이슈와 관련해 자연과의 공존을 위한 방법이 고도화되면서 이 시장은 더욱 확대될 것으로 전망된다.

---

51) 정부, '메타패션'으로 온라인 패션시장 주도한다. / 서울경제
52) 양심적 패션 시장 성장세 / MZ세대 주도 '뉴럭셔리' 뜬다 / 오픈애즈

나. 해외

국가별로 살펴보면 미국과 중국이 전 세계 패션 매출의 절반 가까이 양대 산맥을 형성하고 있는데, 중국의 패션 시장 규모는 5년 전에 비하면 21.3% 성장한 것으로 미국을 놀라운 속도로 추격중이다. 특히 아동복이 5년 동안 52.7% 증가하여 성장을 주로 견인했다. 패션시장이 가장 빠르게 성장 중인 국가는 인도로, 5년 전에 비해 32.7% 증가했다.

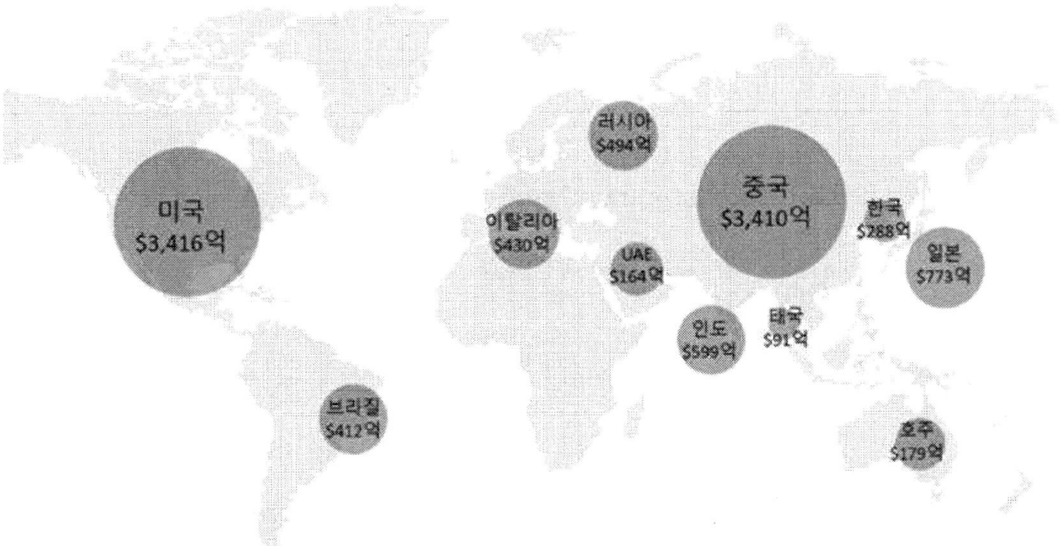

그림 56 글로벌 의류 및 신발시장 규모

53)

그림 57 2024 세계 5대 패션 시장 나라별 의류 판매 전망

2024년에는 중국과 인도가 미국과 함께 3대 거대시장으로 부상하게 될 전망이며 또한 인공지능, 사물인터넷, 가상현실 등 4차 산업혁명 열풍은 패션사업 패러다임 변화를 이끌 것으로 판단된다. 디자인 감성이었던 패션산업은 아마존, 구글의 패션산업에 대한 관심과 함께 ICT융합, 데이터 기반 플랫폼 혁신 산업으로 급부상하고 있다. 이에 국내 패션업계는 전략의 일환으로 해외시장 확대에서 적극적으로 나서야 한다. 따라서 본 장에서는 글로벌 패션시장 규모와 전망에 대해서 알아보도록 한다.

1) 미국

글로벌 산업 시장 조사 전문기관 IBIS World의 미국 여성·여아·영유아용 의류 생산업 보고서(Women's, Girls' and infants' Apparel Manufacturing in the US, 2021년 11월 발간)에 따르면, 2020년 해당 의류 생산 시장의 규모는 약 31억 1900만 달러를 기록했으며 2021년 말까지 약 33억 800만 달러 규모로의 성장이 예측된다. 팬데믹에 따른 소비 위축의 영향으로 2020년에만 약 7.2%의 역성장을 겪은 해당 시장은, 2016년부터 2021년까지 5년간 연평균 6.3%의 마이너스 성장을 한 것으로 분석된다. 향후 5년 동안에는 지금까지 겪은 급격한 하락세를 서서히 회복하며 연평균 1.4% 성장할 것으로 예상되며, 2025년에는 시장 규모가 약 35억 달러까지 성장할 전망이다. 값싼 인건비 덕분에 가격 경쟁력이 높은 수입산 제품에 의존하는 미국 의류 공급 시장의 특성상, 미국 의류 업계에서는 비용 절감을 위해 생산 부문을 아웃소싱하거나 해외에 생산기지를 두는 경우가 대부분이다. 그 외 미국 국내 의류 생산업계에서는 비교적 저렴하게 대량으로 생산하는 패스트 패션 아이템보다는 소량의 하이엔드(High-end) 디자인 의류 제품 생산에 집중하는 것으로 분석된다. 작년 한 해 동안 팬데믹으로 인해 억압된 소비 수요가 증가하면서 매출에 긍정적인 영향을 끼칠 것으로 예상되지만, 국내 전체 의류 수요 중 수입산 제품이 차지하는 비율이 95%에 가까운 만큼 여전히 저가 수입산 제품과의 경쟁이 치열하다는 것이 지속적인 시장의 특징으로 꼽힌다. 미국 여성 및 아동용 의류 생산 시장에서는 드레스(Dress)류가 전체 시장 중 가장 큰 약 38%를 차지하며 그다음으로는 블라우스·셔츠 등의 상의가 약 27%, 바지·스커트 등의 하의가 약 17%를 차지하고 있다. 한편, IBIS World의 미국 남성 및 남아용 의류 생산업 보고서(Men's & Boys' Apparel Manufacturing in the US, 2021년 11월 발간)에 따르면, 해당 시장의 2020년 시장 규모는 약 15억 6400만 달러로 집계되었으며 2021년에는 약 15억 9100만 달러 규모로의 증가가 예상된다. 위의 여성 및 아동용 의류 생산업과 마찬가지로, 남성 및 남아용 의류 생산 시장 또한 2020년 단독 15% 역성장 및 2016년부터 2021년까지 최근 5년간 1.6%의 마이너스 연평균 성장세

53) 자료원: 유로모니터

를 나타냈으며 향후 5년간 연평균 0.8% 성장이 예측돼 다소 서서히 시장 규모를 회복해나갈 전망이다. 이 시장 역시 가격 경쟁력을 앞세운 수입산 제품과의 치열한 경쟁을 겪고 있으나, 상대적으로 가격보다 품질에 집중하는 프리미엄 남성 정장이나 프리미엄 데님 등의 하이엔드 분야에서 성장 가능성이 클 것으로 전망된다. 제품 품목으로 살펴보면, 전체 시장의 약 42%를 차지하는 정장(Suits)류의 비중이 가장 크며 그 외 업무용 의류(Work clothing)가 약 19%, 셔츠 등의 상의가 약 18%, 코트 및 자켓류가 약 11%를 차지한다.[54]

가) 지출 규모 전망

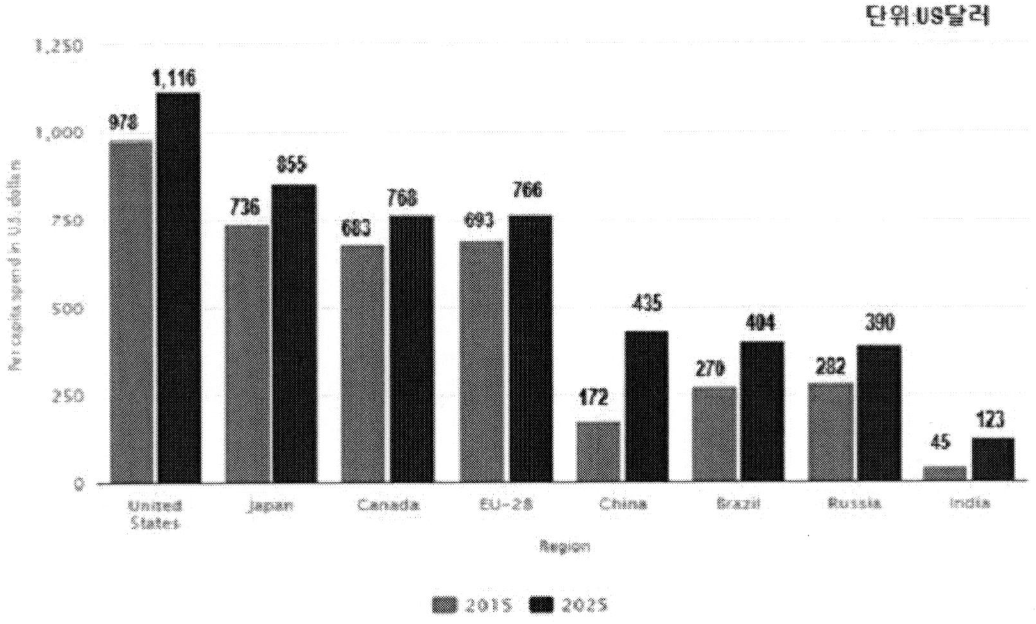

그림 58 미국인 1인당 의류 소비지출규모
55)

위 그래프는 2015년의 1인당 의류 지출 규모를 나타내고 2025년 예측치를 나타내는데, 주요 시장의 1인당 의류 지출규모를 살펴보면 일본은 2015년 736달러에서 2025년 855달러로 캐나다는 2015년 683달러에서 2025년 768달러로, 유럽연합은 693달러에서 766달러로 상승할 것으로 예측하고 있다.

세계의류 시장에서 급속도로 성장중인 중국은 2015년 172 달러에서 2025년 435달러로 크게 성장할 것으로 보이나 미국이 2015년 1인당 의류 지출 규모가 978달러에서 2025년 1,116달러까지 커질 것으로 예상하고 있어 국민 1인당 의류 지출규모면에서 미국이 압도적으로 큰 규모를 갖고 있다.

54) 2021년 미국 의류 산업 정보 / 코트라 해외시장뉴스
55) 출처: statista

나) 의류수입

2021년은 코로나 팬데믹 이후 2년이 되는 해로 백신접종과 소비자 수요 호조에 힘입어 미국 의류 수입은 1년 전보다 눈부신 회복세를 보였다. 미국 섬유의류국(OTEXA)의 2021년 연간 미국 수입 데이터 분석 결과에 따르면 미국 의류 수입이 27.4% 증가했다. 미국 델라웨어대학교 패션 및 의류 연구 부교수인 Sheng Lu 박사는 "이는 지난 10년 동안 가장 빠른 성장"이라고 진단했다.

하지만 패션기업들은 여전히 코로나로 인한 공급망 붕괴와 비용 상승, 지정학적 긴장으로 인한 시장 불확실성까지 어려운 도전에 직면해 있다. 패션기업들이 급변하는 비즈니스 환경에 맞춰 소싱 전략을 어떻게 조정해왔을지 알아보고 미국 의류 소싱패턴이 어떻게 발전해 나갈지 살펴보겠다.

미국 델라웨어대학교 패션 및 의류 연구 부교수인 Sheng Lu 박사는 OEXTA의 최신 무역 데이터를 활용해 이러한 질문에 대한 답과 올해 지켜봐야 할 중요한 문제들을 조명했다. 호황을 누리고 있는 미국 경제와 소비자의 강력한 수요 덕분에 2021년 미국 의류 수입액은 27.4% 성장을 기록했다. 이는 지난 10년 동안 가장 빠른 성장이며, 2008년 글로벌 금융위기(이후 13% 성장에 불과)보다 더 큰 반등이다.

그럼에도 불구하고 2021년 미국 의류 수입액은 팬데믹 이전인 2019년 보다 2.5% 낮은 수준을 유지했다. 방글라데시를 제외하고 대부분의 주요 의류 공급업체는 중국(-21.3%), 아세안 회원국을 포함해 2021년 수출 가치가 코로나 이전 수준에 미치지 못하거나 미미하게 증가할 것으로 보고 있다.

인도(+3.4%), 인도네시아(-5.7%), 미국.멕시코.캐나다 무역협정(USMCA) 회원국(-11.0%), 도미니카 공화국-중미자유무역협정(CAFTA-DR) 회원(+0.6%) 등 이는 전반적으로 우리가 숲에서 벗어났다고 말하기에는 너무 이르다는 것을 시사한다.

더욱 우려되는 요인은 2022년에도 배송 지연 및 공급망 중단 상황이 지속된다는 것이다. 광범위한 배송 지연과 공급망 중단으로 인해 2021년 미국 의류 수입의 비정상적인 계절적 패턴이 나타났다. 예를 들어 미국 패션기업의 수입은 일반적으로 4분기 홀리데이 판매 수요를 충족하기 위해 6~9월 사이에 정점을 찍는다. 그러나 2021년에는 10~12월 사이에 더 많은 미국 의류 수입이 발생했다. 이는 많은 제품이 거의 1~2개월 늦게 도착했음을 의미한다.
마찬가지로 코로나19 관련 공급망 중단 및 폐쇄 조치로 인해 미국 의류 수입도 2021년에는 과거보다 훨씬 더 변동하기 시작했다. 예를 들어 수입물량의 성장률은 전년동기대비 5월 131%에서 2021년 초 -18.7%까지 다양했다. 2021년 12월 미국 의류 수

입 성장률은 전년대비 50%를 초과했다. 하지만 이러한 현상은 비정상적이지 않고 지속되지 않을 것임을 의미한다. 또한 여러 국제기구는 2022년 미국 경제가 2021년 대비 3.5% 또는 절반 수준으로 성장할 것으로 예측했다. 따라서 올해 미국 의류 수입은 증가하나 더 완만하다.

2021년 미국 의류 수입 비교(%)

수입처	2020년vs	2019년vs
전 세계	27.4	-2.5
중국	29.4	-21.3
아세안	15.0	3.8
베트남	14.3	6.2
방글라데시	36.7	20.7
인도네시아	17.9	-5.7
인도	38.9	3.4
USMCA	27.1	-11.0
CAFTA-DR	39.9	0.6

자료출처: OTEXA(미국 섬유의류국)

그림 59 미국 의류 수입 비교

가치로 측정하면 2021년 미국 의류 수입의 70% 이상이 아시아 국가에서 수입됐으며, 10년 이상 안정적인 패턴을 유지했다. 그러나 아시아 국가의 시장 점유율은 2020년 74.2%에서 2021년 72.8%로 하락해 최근 5년 중 가장 낮다.

특히 다른 요인과 함께 코로나 관련 폐쇄 조치 영향을 받아 베트남(-2.01%), 캄보디아(-0.25%), 인도네시아를 비롯한 여러 주요 아시아 의류 공급업체의 2021년 시장점유율은 0.41%p 하락했다.

이러한 추세를 반영해 미국 패션기업들이 변화하는 비즈니스 환경에 대응해 2021년에도 상위 공급업체를 넘어 소싱 기반을 계속 다각화했다. 예를 들어 Herfindahl-Hirschman Index(HHI)는 2021년 미국 의류 수입이 매우 다양한 출처에서 비롯되었음을 시사한다.

또한 CR5 지수(즉, 상위 5개 공급업체의 총 시장 점유율)는 2018년 이후 가장 낮은 60.6%로 떨어졌다. CR5 지수(중국 제외)도 2020년 42.4%에서 40.7%로 하락해 2021

년 미국 패션 기업들의 '아시아 노출'이 다소 줄어들었음을 시사한다. 그럼에도 불구하고 아시아 국가의 시장점유율은 올해도 안정적으로 유지될 것이다.

USFIA(미국패션산업협회)에서 발표한 2021년 미국 패션산업 벤치마킹 연구에 따르면 아시아 공급업체는 전반적으로 의류 소싱 기반으로서 두 가지 경쟁 이점, 즉 소싱 비용과 유연성 및 민첩성을 누리고 있다.

두 가지 요소 모두 올해에도 여전히 관련성이 높다. 예를 들어 미국 경제가 40년 만에 최악의 인플레이션으로 어려움을 겪고 있고 소비자 구매력이 감소함에 따라 소싱 비용을 통제하는 것이 미국 패션기업의 공급업체 선택 시 그 어느 때보다 중요한 우선순위가 될 수 있다.

마찬가지로 시장 환경이 매우 불안정하고 예측할 수 없는 상태로 남아있기 때문에 패션기업은 소싱 유연성과 민첩성을 제공하는 공급업체에 점점 더 의존해야 한다. 따라서 이 두 가지 중요한 경쟁우위를 활용함으로써 아시아 전체가 올해에도 계속해서 미국 패션기업의 지배적인 소싱 기반 역할을 할 것으로 예상할 수 있다.

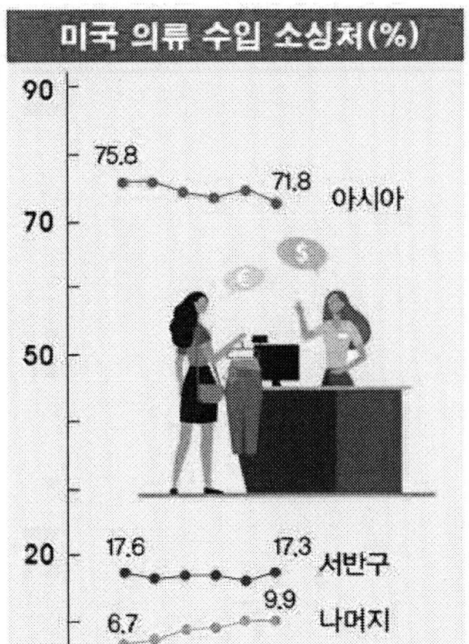

그림 60 미국 의류 수입 소싱처

서반구로부터의 근거리 소싱(Near-sourcing)이 인기를 얻고 있지만 섬유 원료 공급 부족이 이 지역에서 더 많은 미국 의류 소싱을 막는 심각한 병목 현상이다. 미국 패션기업들이 아시아에서 소싱을 다각화함에 따라 서반구, 특히 미국패션산업협회 및 CAFTA-DR 회원사에서 가까운 소싱이 유리하다. 미국 의류기업은 2021년 서반구의 공급업체에 상대적으로 더 많은 주문을 했다.

그러나 한편으로 CAFTA-DR 의류 소싱 활용률이 2021년 73.7%로 사상 최저치를 기록할 것이 우려된다. 이는 CAFTA-DR 회원국으로부터 수입되는 미국 의류의 26.3%가 면세 혜택을 청구하지 않았음을 의미한다.

2021년 미국 시장으로의 수출이 빠르게 증가하는 CAFTA-DR 회원국 사이에서 낮은 FTA 가동률이 문제가 됐다. 예를 들어 온두라스에서 미국 의류 수입이 45.6% 급증한 반면 2021년에는 72.6%만이 CAFTA-DR 관세 혜택을 청구했다. 이는 1년 전의 82.3%보다 감소한 것이다. 엘살바도르, 니카라과, 도미니카 공화국에서도 유사한 패턴이 관찰됐다.

그러나 이러한 현상은 놀라운 일이 아니다. 수년 동안 미국 패션기업은 CAFTA-DR 내 섬유 공급, 특히 직물, 섬유, 액세서리에 대한 제한적인 공급에 대해 불평해왔다. 섬유 공급 부족과 협정의 제한적인 'Yarn Forward' 원산지 규정은 종종 미국 패션기업이 전적으로 아시아에서 조달하거나 CAFTA-DR에서 조달하지만 면세 혜택을 포기해야 하는 딜레마에 빠졌다.

이해할 수 있는 것이 이 지역이 직면한 섬유 공급 부족 문제를 해결하지 않고 CAFTA-DR 회원국으로부터 미국 의류 소싱을 크게 확대할 가능성은 거의 없기 때문이다.[56]

2) 이탈리아 [57]

뛰어난 품질 경쟁력과 디자인으로 이탈리아의 섬유·의류 산업은 EU 전체 섬유·의류 산업 매출액의 약 31%를 차지하고 있으며, EU 전체 기업 수 중 27.6%가 이탈리아에 집중돼 있다. 유럽 경기 침체가 장기화된 2013년도에도 전년대비 0.7% 감소한 507억 유로 매출에 그쳐, 타 산업들이 10% 이상씩 매출 및 수출 감소를 겪은 것에 비해 이탈리아의 섬유·의류 산업은 뛰어난 글로벌 경쟁력을 무기로 장기화되고 있는 경제 불황 속에서도 가장 선전하고 있는 산업 중 하나로 평가됐다.
또한 이탈리아 섬유·패션 산업은 제조업 내에서 분야별로 나누었을 때 금속·기계 및 식품 분야와 함께 부가가치 창출이 가장 높은 산업으로 분류되고 있다. 특히 세계 유수 브랜드를 보유, 글로벌화에 성공하였으며 패션뿐 아니라 섬유 분야에서도 품질과 디자인으로 세계적 인정을 받고 있는데, 이는 전통적인 장인 기술을 바탕으로 선진기술과 조화가 가장 큰 경쟁력으로 꼽히고 있다.

---

56) "美 의류수입 반등세…속도는 Slow" / TIN뉴스
57) 2021년 이탈리아 섬유·패션산업 정보 / 코트라 해외시장뉴스

이러한 국가 산업으로서 섬유·패션 산업을 강화하기 위해 정부에서는 일찍이 'Made in Italy' 국가 브랜드 정책을 시행해 왔다. 이탈리아 무역진흥공사에서 이탈리아 소비재의 수출시장 확장을 위해 국가 브랜드 정책을 시행하고 있으며, 원산지 인증을 통해 동 브랜드 부착이 가능한데, 정부의 'Made in Italy' 정책에 힘입어 이탈리아는 패션명품(고급소비재) 수출 1위국으로 세계 패션시장을 선도하고 있다.

또한, 중소기업이 대다수인 섬유·패션 기업들은 패션기업연합(Confindustria Moda) 출범을 통해 패션산업 간의 협업 강화로 공동 리서치, 공동 전시회 개최 등 산업간 연결고리 강화한 바 있다. 2017년 설립된 동 연합에는 섬유, 안경, 피혁, 신발, 귀금속 등 6만 8천여개의 업체가 회원으로 포함돼 연관된 모든 산업을 패션산업의 카테고리 속에서 성장시키려는 전략을 구사하고 있다. 이러한 기업간의 협력은 코로나19시 유동적인 움직임이 가능하도록 해 산업 전반의 감소세에도 클러스터 중심으로 일자리를 보호에 힘쓰고 있다.

이탈리아 섬유·패션 산업 개요

(단위 : 백만 유로, 개 천 명)

구분	2018	2019	2020
매출	55,210 (2.1%)	55,949 (1.3%)	42.686 (-23.7%)
수출	31,458 (2.8%)	32,842 (4.4%)	27,438 (-16.3%)
기업수	45,842 (-0.5%)	44,688 (-2.5%)	43.878 (-1.8%)
종사자 수	399.6 (-0.1%)	393.7 (-1.5%)	378.6 (-3.8%)

표 24 이탈리아 섬유패션 산업 개요(2021.9)

주 : 괄호 안은 전년대비 증감률

자료: Confindustria Moda(패션기업 연합)

코로나19로 인한 경제적 여파가 장기화되며 저가제품의 소비 확산이 지속되고 있다. 한동안 지속된 패스트패션의 판매 강세를 통해 패스트패션의 대표적 브랜드인 OVS와 ZARA 등이 매장 확장으로 점유율을 높여갔던 판매시장은 코로나19로 새로운 변화를 맞이했다. 장기간 이동 금지와 상업활동 금지가 이어지자 온라인을 통한 구매가 급증하며 글로벌 온라인 플랫폼을 중심으로 소비가 증가했다. 특히, 아마존, Yoox, Zalando 등의 플랫폼이 급속도로 성장했으며 이러한 시장 변화에 따라 각 브랜드에서는 온라인 마켓을 별도로 운영하고 서비스를 강화하는 등 인터넷을 통한 마케팅 및 판매 확장을 도모하고 있다.

또한, 코로나19로 집에 있는 시간이 많아지며 소비자들은 보다 편안한 복장을 선호하게 됐다. 애슬레저(Athleisure)룩으로 불리는 이 새로운 트렌드가 세계적으로 유행함에 따라 다양한 디자인보다는 기능과 편안함에 중점을 둔 품목들이 판매 강세를 보이

고 있다. 이에 이탈리아 패션산업 특히 수출산업의 중심을 이루고 있는 명품 브랜드 제품의 판매 및 매출이 급격히 감소하며 이탈리아 섬유·패션 산업에 큰 영향을 미치고 있다.

자료: EY settore moda e covid19 보고서(2020.7)

그림 61 이탈리아 명품 브랜드별 판매 추이

모든 분야와 마찬가지도 섬유·패션 분야에서도 회사의 운영 및 생산, 관리 등 전 분야의 디지털화가 중요한 관건으로 대두된 바 있다. 기존의 노동집약적 산업이라는 선입견에서 벗어나 새로운 디지털 기술과 접목하여 제품의 디자인부터 생산까지 디지털화 된 시스템으로 생산성을 높이는 프로세스가 제시되고 있으며, 이에 따라 디지털 관련 설비 확충 및 인력 양성이 이어지고 있다.

또한, 소비자들이 환경 문제에 대해 심각하게 고민하기 시작하며 소비재 제품의 지속가능적 활용에 대한 관심이 높아지고 있다. 특히, 트렌드의 변화에 따라 지속적으로 소비되는 섬유·패션 산업에 지속가능성이라는 화두를 제시함으로 재활용(recycle) 혹은 지속적 사용이 가능한 섬유 개발에 박차를 가하고 있으며, 재활용 및 친환경 섬유를 사용한 제품이 시장에 지속적으로 출시되고 있다.

이러한 시장 변화를 바탕으로 섬유업체에서는 친환경 제품의 소비증가에 따른 기술개발 강화를 지속하고 있다. 소비자들이 제품 구매 기준이 건강 및 환경으로 변화함에 따라 패션업체에서는 친환경 소재 제품을 사용해 인체와 기능성을 고려해 디자인된 패션 제품 개발이 당분간 지속될 전망으로, 애슬레저 트렌드의 지속에 따라 친환경 소재의 스포츠 웨어 시장을 중심으로 시장 회복이 기대되고 있다.

SWOT 분석

Strength	Weakness
· 전통 제조기술을 바탕으로 다양한 분야에서 고부가가치 제품 생산에 특화됨 · 다수의 유명 디자인스쿨이 있어 패션을 비롯 자동차 등 주요 산업에서 디자인을 선도	· 기업의 실질부담세가 높으며, 에너지 비용 등의 부담이 큼 · 코로나19 팬데믹의 장기화로 소비심리가 위축되는 추세
Opportunities	**Threats**
· 세계 유수 브랜드의 본사가 위치해 있으며 새로운 제품 개발로 세계 시장을 선도 · 매년 새로운 제품 출시를 위해 신소재 발굴 수요가 있으며 지속적인 R&D가 이뤄짐 · 밀라노 섬유전, 패션위크, 피티 우오모 등 섬유, 여성복, 남성복 분야에 전시회 개최	· 유동자산의 부족으로 금융 부분에 취약점을 보유하고 있음 · 유통망이 발달하지 않아 에이전트를 통한 거래가 일반화 되어있음. · 코로나19로 전시회 취소, 온라인 전환 등으로 신제품의 효과적인 소개가 어려움

표 25 SWOT 분석

이탈리아 섬유·패션 시장에서 한국제품이 전통적으로 강한 분야로는 합성섬유 분야를 꼽아볼 수 있다. 합성 필라멘트사의 섬유(HS5407) 제품과 합성 스테이플 섬유(HS5503) 제품은 이탈리아 시장에서 수출 점유율 1,2위를 유지하고 있는데, 이는 한국제품이 가격경쟁력과 제품경쟁력을 동시에 갖추고 있기 때문으로, 저가와 고가 제품의 구분이 확연한 시장에서 신기술을 바탕으로 제품개발이 지속적으로 이뤄질 경우 고가 제품 시장에서의 시장이 확장될 것으로 기대된다.

또한, 최근 시장의 흐름에 따라 친환경 소재 지속가능성 제품의 시장 공략이 필요한 시점으로, 패션 섬유를 포함해 자동차 등에 사용되는 산업 섬유 시장에서도 환경 및 지속가능성에 대한 중요성이 부각되고 있다. 기능성 섬유이나 재활용(재사용)이 가능한 제품에 대한 관심이 증가하고 있기에 이에 탄소복합재료 등 혁신적인 소재 뿐 아니라 재활용 및 친환경 제품으로 시장진입을 노려볼 수 있겠다.

3) 영국[58)]

가) 영국 패션시장 규모

• 영국패션섬유협회(UKFT)에 따르면 2020년 영국패션산업의 규모는 260억 파운드에 달하며 이중 100억 파운드는 영국 내 패션제조산업규모에 해당한다.
• 영국통계청에 따르면 2019년 영국 내 의류지출총액은 593억 파운드에 달하며, 2020년은 540억 파운드, 2021년 622억 파운드 규모(Revenue)의 시장이 형성될 것이라 전망하였으나 팬데믹 상황으로 2020년 매출규모 25%하락하였다.
• 또한 2022년 영국의 의류 및 신발산업분야 e-커머스 수입이 329억 달러에 달할 것으로 전망하고 있다.
• 영국 내 리테일 부문 80만명, 홀세일 부문 4만명의 근로자들이 종사하고 있다.
• 지난 10년간 영국의 패션산업제품 수출이 30% 신장, 총 100억 파운드의 규모에 달한다.
• 반면 영국 내 수입은 250억 파운드 규모에 다다르고 영국 하이스트리트에서 소비자들이 구매하는 제품의 90% 이상이 수입 제품이다.
• 영국의 주요 하이 스트리트 패션 리테일러로는 넥스트(Next), 넥스트룩(New Look), 프리마크(Primark)가 있고, 온라인 홈쇼핑으로는 아소스(ASOS)와 부후(Boohoo)가 있다.
• 영국패션리테일러 2020년 TOP5로는 락다운 호기로 매출이 급성장한 온라인 리테일러 아소스(ASOS)와 넥스트(NEXT), 세인즈버리(Sainsbury), 존루이스(Johnlewis), 베리(Very) 가 있음. (단위 : USD 순매출 기준)

58) 영국 패션시장 동향 및 전망 보고서(2021.8) / 한국콘텐츠진흥원

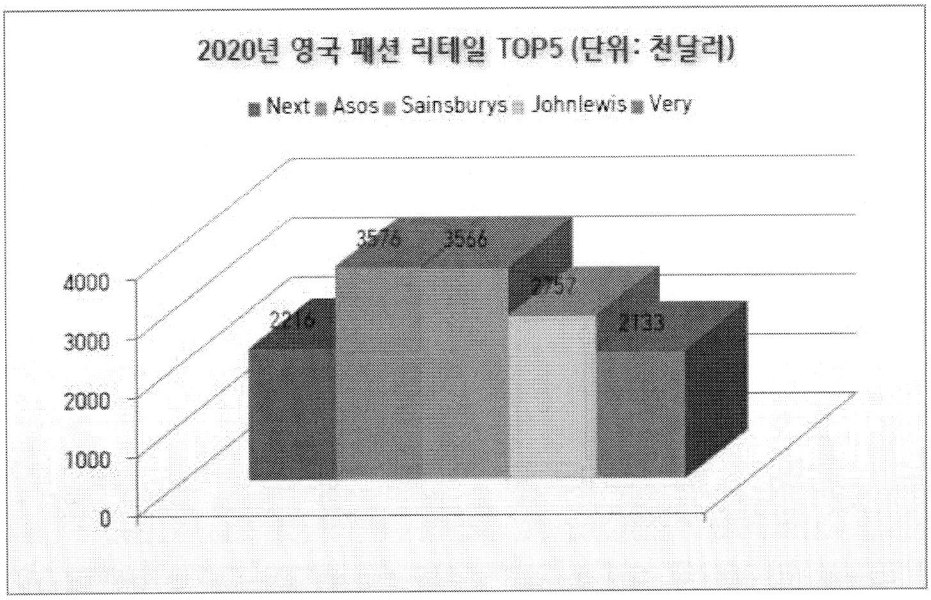

그림 62 영국 패션 리테일 TOP5, 출처: Statista (※수치는 패션 외 제품 포괄한 기업전체 연간매출액임.)

나) 영국 패션시장 추이

• 스테파니 페어(Stephanie Phair) 영국패션협회장의 보그와의 인터뷰에서 팬데믹 위기에서 기업의 존재 이유가 명확한 업체들만 살아남을 수 있을 것이라고 언급하였다.

• 패션산업 내 지속가능한 개발 및 친환경이 트렌드나 옵션이 아닌 생존을 위한 필수 조건으로 등극하였다.

• 중저가의 패스트 패션에 반하는 디자이너들의 로컬 내 산업과의 연계를 통해 지속 가능한 적정가격의 고퀄리티 제품 생산 및 재고 제로 시스템인 선주문 후제작이 새로운 모델로 제시되었다.

• 디지털 온라인 홈쇼핑은 멀티채널 뿐 아니라 소비자 중심의 옴니채널화가 지속된다.

• 영국 내 패션리테일 1위기업인 NEXT의 2020년 2월부터 2021년 1월까지 락다운 기간 전년대비 온라인 및 오프라인 판매량을 비교했을 때 1차 락다운시 -85%까지 매출이 급락하였으나 2, 3차 락다운 시 온라인 판매 급증에 힘입어 8월부터 전년도 매출 수치를 회복하였다.

• NEXT 그룹의 영업이익율은 2020년 1월 대비 2021년 1월 -50%로 하락하였으나 온라인의 경우 18% 상승, 오프라인 리테일의 경우 -226% 급감하였다. 이는 코로나19로 인해 매장문을 닫아야 했던 락다운 기간 매출의 급감세 때문이다.

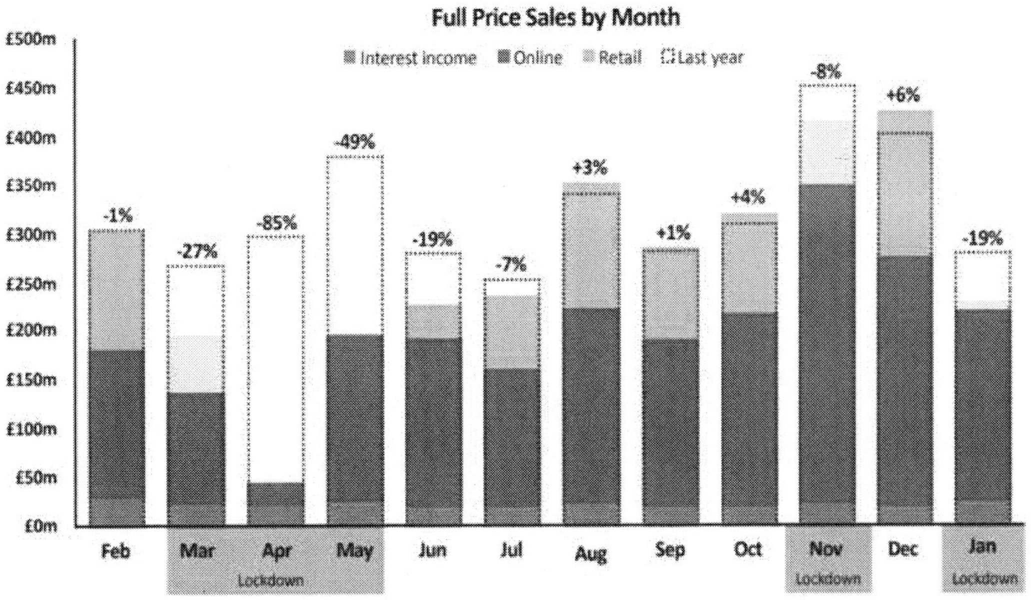

그림 63 NEXT 기업 전년대비 온라인 및 오프라인 매출(할인판매 제외) 비교 (2020년 2월 ~ 2021년 1월)

• 2020년 한해 영국 내 온라인 구매제품 품목의 랭킹으로 1순위가 의류제품으로 52%를 차지했다.

• 그 뒤를 배달 서비스 음식 32%로 의류제품과의 격차(20%)가 많았으며, 서적 및 잡지, 신문 29%, 가구·홈데코, 정원용품이 28%, 이동통신 및 IT제품이 24% 순으로 나타났다.

• 오프라인 패션 리테일 업체들의 락다운 타격으로 줄이은 파산과 함께 리테일계 온라인 홈쇼핑 기업들을 중심으로 새로운 지도가 그려짐

4) 중국[59]

중국 의류시장은 2015년부터 안정적인 성장세를 유지하고 있으며, 특히 1979년 개혁 개방 이후 의류산업이 중국 경제의 중요한 산업 중 하나로 자리잡았다. 유로모니터(Euromonitor)가 발표한 자료에 따르면, 중국 의류시장 규모는 2021년에 2.4억 위안에 달할 예정이고 지속적으로 성장하고 있으며 2019년 기준, 의류시장 중 여성의류가 차지하는 비중(47.62%)이 단연 1위를 차지하고 있다. 다만 최근 코로나19로 인해 실물 경제가 충격을 받은 상황에서, 2020년 남성·여성 의류시장 규모 또한 감소세를 면치 못하고 있다.

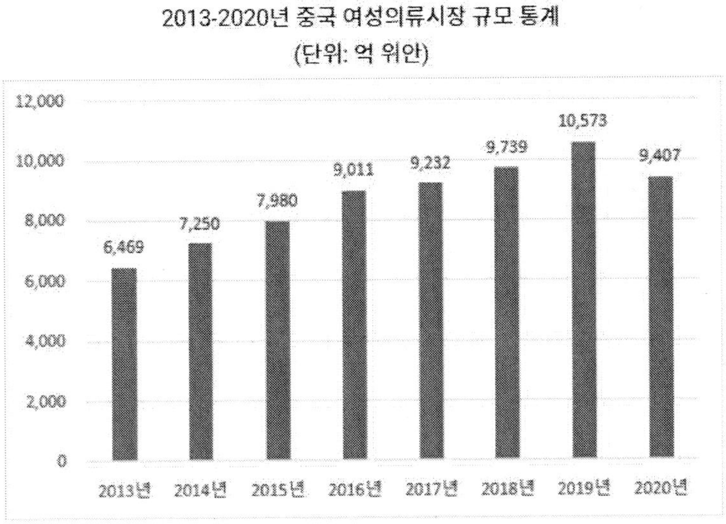

그림 64 중국 여성의류시장 규모 통계 (자료: 유로모니터)

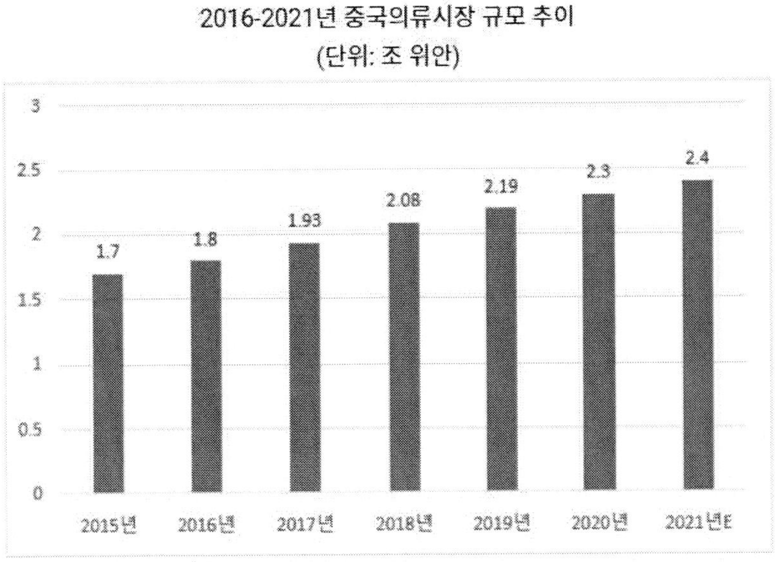

그림 65 중국의류시장 규모 추이 (자료: 유로모니터)

59) 중국 의류 시장동향 / 코트라 해외시장뉴스(2021.12)

2009-2020년 중국 남성의류시장 규모 통계
(단위: 억 위안)

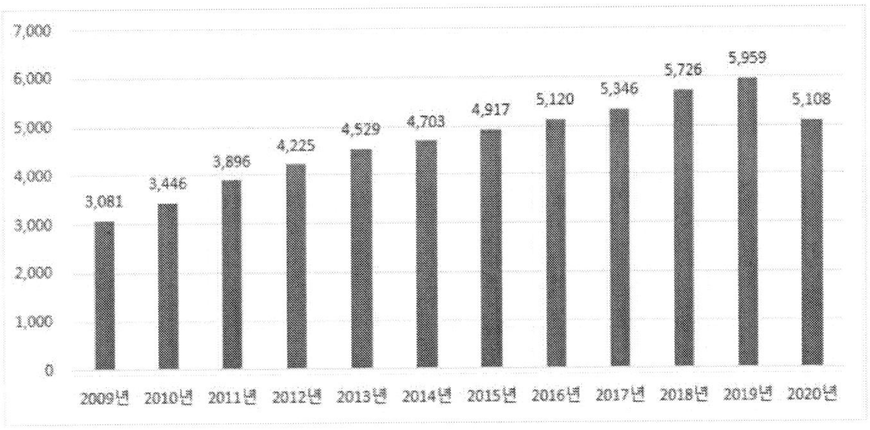

자료: Euromonitor

중국 남성의류 시장 동향

중국 남성의류 시장 점유율 TOP3는 각각 하이란즈쟈(海澜之家) 5%, 아디다스 2.4%, 유니클로 2.1%이다. 특히 2013년부터 중국 남성의류 시장의 기업 집중도(점유율)가 지속적으로 성장세를 보이고 있는데 2020년 기준 남성 의류시장의 CR5(상위 5개 기업의 시장집중도/점유율)는 13.5%, CR10(상위 10개 기업의 시장집중도/점유율)는 20.4%이다.

2011-2020년 중국 남성의류시장 집중도 통계
(단위: %)

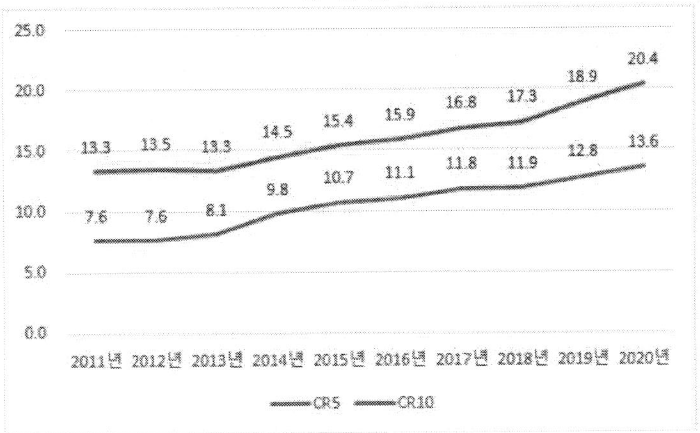

자료: 첸잔산업연구원(前瞻产业研究院)

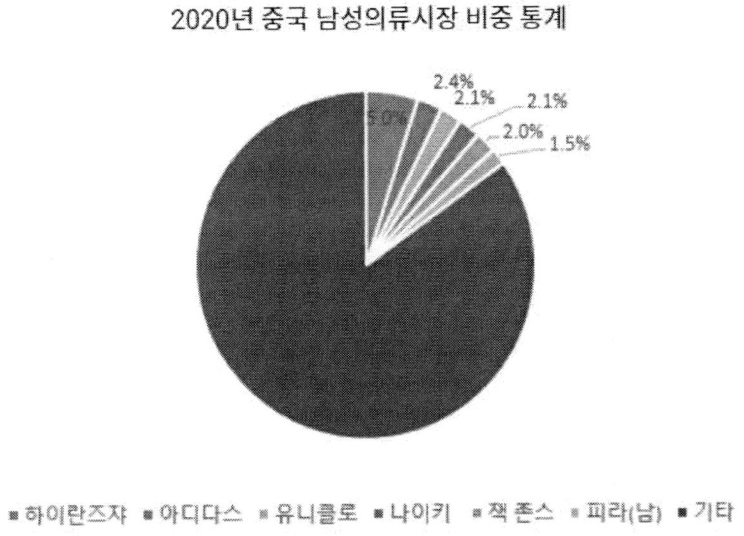

자료: 어우루이(欧睿)

스포츠와 비(非)스포츠로 따져보면 비스포츠 브랜드의 시장점유율이 높은 반면, 성장세는 스포츠 브랜드가 더 빠른 편이다. 최근 시장조사 자료에 따르면, 스포츠 브랜드와 비스포츠 브랜드의 사장점유율이 각각 3.7 퍼센트, 2.1페센트를 증가한 것으로 나타났으며 중국 남성 의류시장 중, 스포츠류가 더욱 소비자의 주목을 받고 있는 분석이 나온다.

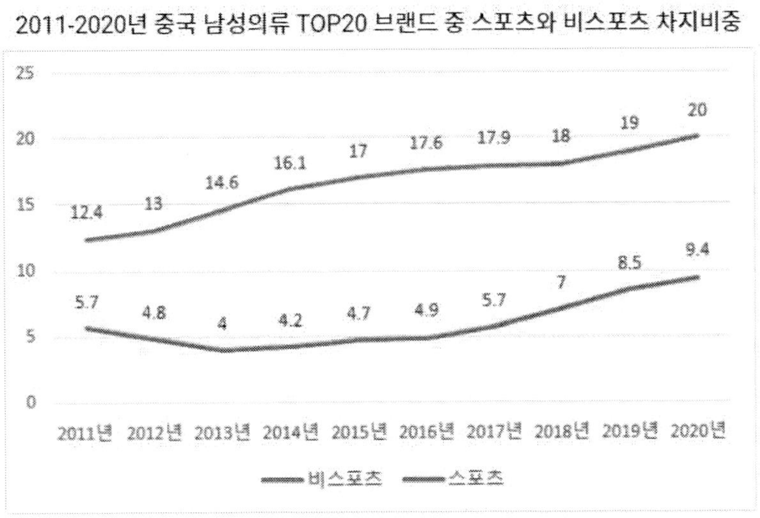

자료: 왕이(网易)

그림 69 중국 남성의류 TOP20 브랜드 중 스포츠와 비스포츠 차지 비중

중국 여성의류 시장 동향

중국 여성 의류 기업 중 중국 증시 상장기업은 라샤펠(拉夏贝尔, 06116.hk), 진홍그룹(锦泓集团, 603518), 엘리세이(歌力思, 603808), 디수패션(地素时尚,603587), 안장패션(安正时尚,603839) 등이 있다. 최근 10년 중국 여성의류시장은 안정적인 성장세를 유지하고 있으며 2020년 기준, TOP10 브랜드의 시장점유율은 8.2%에 달했다.

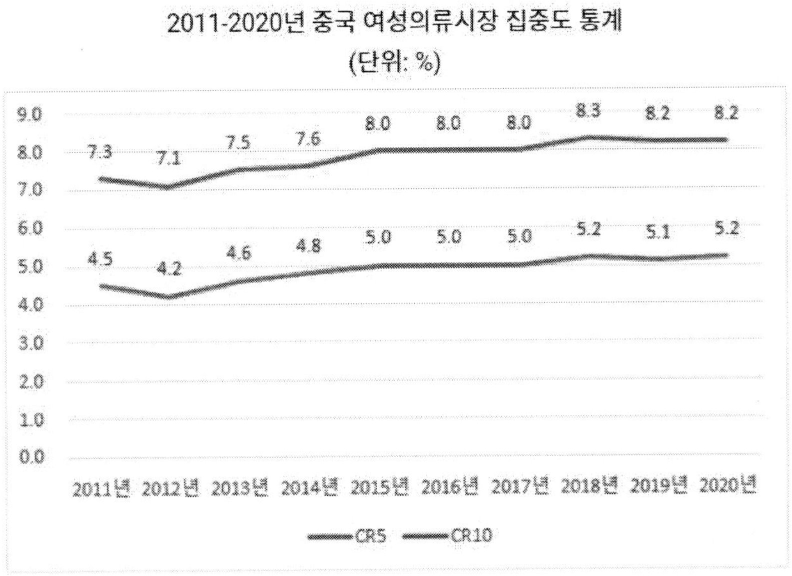

자료: 어우루이(欧睿)

그림 70 중국 여성의류시장 집중도 통계

2019년 기준, 중국여성의류시장 점유율 TOP3는 각각 유니클로(1.5%), 아디다스(1,1%), 라셔펠(0.9%)이며 2014년부터 2017년까지 라셔펠이 중국여성의류시장 점유율이 1위를 차지했지만 2018년 유니클로의 급성장으로 인해 2위로 하락했다. 외국 브랜드 또한 가격경쟁력과 우수한 품질이 수반된다면 중국 여성의류시장에서 무한한 가능성이 있음을 알 수 있다.

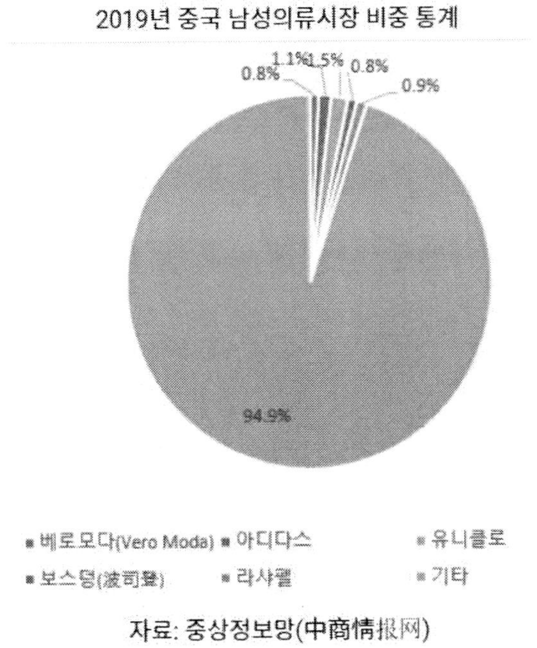

그림 71 중국 남성의류시장 비중 통계

상위 10개국 수출입동향

중국의류 수입 규모 중 상위국은 이탈리아, 인도, 프랑스로 각각 1, 2, 3위를 차지하고 있으며, 수입대상국 중 1위와 2위 간의 상당한 규모 차이가 있음을 알 수 있다. 반면 주요 수출대상국은 선진국이 대부분이며, 국가별 수출 규모 차이는 그리 크지 않다. 중국의 의류 주요 수출대상국은 미국, 일본, 한국이며, 대(對)한국 수출 규모는 2019년 코로나19 영향으로 소폭 하락하지만 다시 성장세를 보이고 있다.

2016년-2020년 중국 의류(HS코드 420310기준) 상위 10개국 수입액 현황
(단위: 천 달러)

순위	국가명	2016년	2017년	2018년	2019년	2020년	2021년 9월 기준
1	이탈리아	31,044	33,768	43,361	36,520	33,662	42,644
2	인도(인디아)	31,727	29,567	27,631	24,714	13,302	9,676
3	프랑스	5,297	4,600	6,834	7,114	7,828	8,186
4	터키	8,769	10,790	8,816	8,174	7,799	7,271
5	스페인	713	2,211	1,405	1,625	3,143	1,957
6	튀니지	474	478	574	911	864	1,139
7	베트남	264	326	386	626	663	1,103
8	파키스탄	2,392	3,120	2,073	3,088	2,105	1,014
9	스리랑카	707	1,079	212	593	1,066	928
10	인도네시아	414	615	616	951	569	789

그림 72 중국 의류(HS코드 420310기준) 상위 10개국 수입액 현황

2016년-2020년 중국 의류(HS코드 420310기준) 상위 10개국 수출액 현황
(단위: 천 달러)

순위	국가명	2016년	2017년	2018년	2019년	2020년	2021년 9월 기준
1	미국	102,468	101,707	77,985	40,550	16,611	19,395
2	일본	29,085	28,811	25,432	20,591	14,708	14,318
3	한국	8,911	1,184	12,422	11,875	14,257	13,098
4	러시아	17,234	17,234	4,730	4,730	7,322	6,899
5	네덜란드	6,393	6,390	5,041	5,014	3,291	4,847
6	싱가포르	380	369	1,119	833	1,820	4,777
7	말레이시아	873	873	521	771	1,257	3,852
8	영국	6,869	6,779	2,391	2,339	2,117	3,228
9	이스라엘	594	594	110	170	798	2,617
10	독일	13,267	13,142	4,634	5,760	3,028	2,402

자료: 한국무역협회

그림 73 중국 의류(HS코드 420310기준) 상위 10개국 수출액 현황

최근 7년간 대 한국 수입규모

2019년 이후 중국 의류의 대한 수입규모는 증가세를 보이고 있는데, 2021년 9월 기준, 대한 수입규모는 전 년동기대비 무려 65.3%를 증가했다. 2015년부터 2019년까지 지속적으로 하락세를 드러났지만 코로나19 이후 다시 성장세로 돌아섰으며, 특히 최근 중국 내에 한국 차오파이(潮牌, 트렌디한 브랜드) 브랜드가 인기가 높고 젊은 세대가 한류에 대한 관심이 나날이 증가하면서 한국 의류에 대한 수요가 지속적으로 증가할 것으로 예상된다.

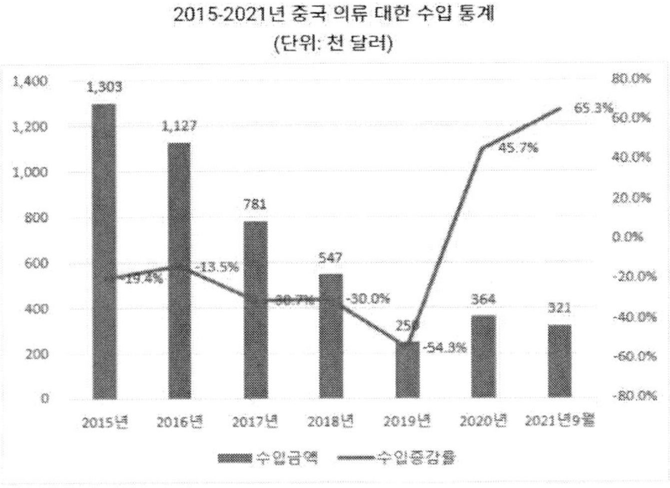

그림 74 중국 의류 대한 수입 통계

2015-2021년 한국 의류 수출입 규모 통계
(단위: 천 달러)

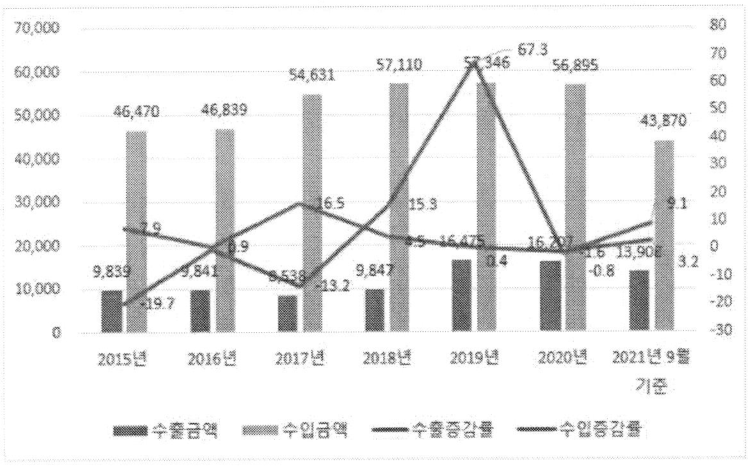

자료: 한국무역협회

그림 75 한국 의류 수출입 규모 통계

Z세대, 중국 의류시장의 신(新)소비주력

2021 3월 22일, 알리마마(阿里妈妈), 티몰의류(天猫服饰) 그리고 빌리빌리(bilibili)는 공동으로 <대단한 신세대: 2021 봄여름 트렌드 보고서(了不起的新世代：2021春夏新风尚报告)>를 발표했는데 보고서 내용에 따라면, 2020년 기준 Z세대의 패션의류와 모자/신발 1인당 연평균소비는 각각 10,530 위안, 6,984 위안, 품목별 연평균 패션류 소비횟수 8~15회에 달했다. 소비금액, 횟수 등 자료를 살펴보면 Z세대는 앞으로 패션 의류 사장에서 보다 큰 영향력을 발휘할 수 것으로 기대된다.

2020년 Z세대 패션류 품목별 소비 통계

분류	금은보석	패션 의류	모자/신발	화장품	액세서리	뷰티	향수	가죽 제품
평균 소비가격(위안)	1,560	702	582	424	614	387	480	427
1인당 구매 횟수	7	15	12	12	8	12	9	9
1인당 연평균 소비금액(위안)	10,920	10,530	6,984	5,088	4,912	4,644	4,320	3,843

그림 76 대단한 신세대 : 2021 봄여름 트렌드 보고서

또한 과거 10년 동안 전자상거래 지속적인 발전에 따라 중국 의류업계 또한 온라인 거래율(오프라인 거래 대비 온라인 거래 비율)이 2010년 기록된 0.4%에 비해 2020년에는 36.6%에 달했다. 특히, 2017년 이후 더우인(抖音/틱톡), 콰이쇼우(快手), 샤오홍수(小红书) 등 새로운 플랫폼이 등장하면서 이를 활용한 제품 홍보, 선전 등 마케팅을

펼치는 기업들이 나날이 증가하고 있다.

2010-2020년 중국 의류 온라인 침투율 통계

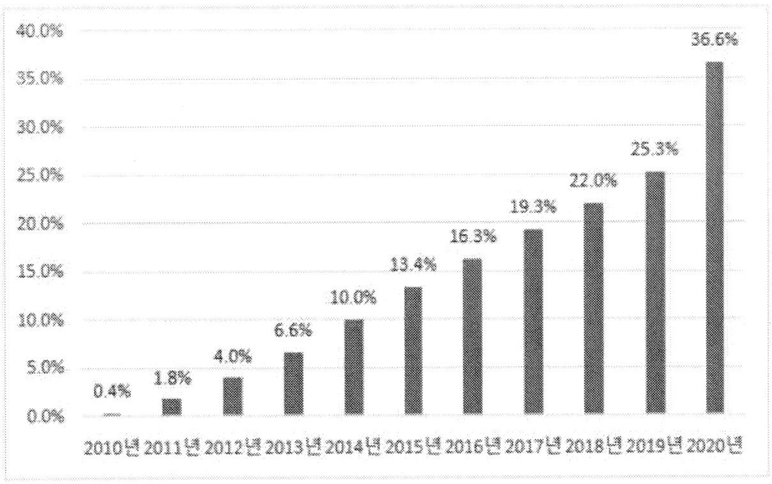

그림 77 치엔잔산업연구원

2020년 9-11월 더우인 매출액 TOP3

순위	9월	10월	11월
1	의류,악세사리, 가방 등 19.6억 위안	의류,악세사리, 가방 등 38.4억 위안	의류,악세사리, 가방 등 41.5억 위안
2	식음료 8.1억 위안	뷰티 11.2억 위안	뷰티 12.6억 위안
3	뷰티 8.0억 위안	식음료 9.6억 위안	식음료 10.6억 위안

그림 78 CC데이터

2020년 5월 17일, 중국초상은행(中国招商银行)과 베인캐피탈(Bain Capital) 함께 발표한 <2021년 중국개인자산보고서(2021中国私人财富报告)>에 따르면, 2020년 기준 중국 내에 자산 1,000만 위안(한화 약 185억)을 넘는 사람은 262만 명에 달했으며 2018-2020년 성장률은 15%에 달했다. 이는 2016-2018년 기록된 12%보다 3% 증가한 수치이며 동시에 중국 소비시장의 무한한 잠재력을 반증하고 있다.

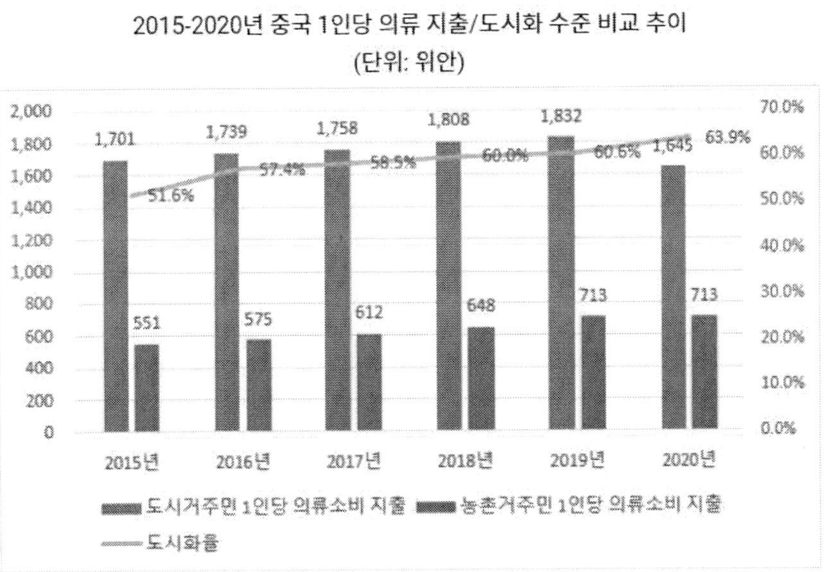

그림 79 중웨이쯔쉰

허난성의류업계협회(河南省服装行业协会) 리강(李刚) 회장은 KOTRA 정저우 무역관 인터뷰에서 중국의 의류시장 잠재력에 대한 의견을 제시했다. 중국국가통계국(中国国家统计局)가 발표한 자료에 따르면 2003년부터 2021년까지 중국의류시장의 연평균영업소득이 2.5조 위안을 초과하며 전체적으로 빠른 성장을 이루고 있다고 밝혔다. 특히 최근 소비력이 높은 Z세대를 중심으로 중국 온라인 플랫폼을 잘 활용하여 시장을 개척한다면 허난성을 포함한 중국 의류시장 내 외국 브랜드의 성장 잠재력이 더욱 커질 것이라고 피력했다.

자료: Euromonitor, 첸잔산업연구원(前瞻产业研究院), 어우루이(欧睿), 왕이(网易), 중상정보망(中商情报网), 한국무역협회, <대단한 신세대: 2021 봄여름 트렌드 보고서>, CC데이터, 중웨이쯔쉰(中为咨询), 중국국가통계국(中国国家统计局), KOTRA 정저우 무역관 자료 종합

5 시장 전망

5. 시장 전망

의류산업은 최근 연속 마이너스 성장을 기록했으나 코로나19 회복세로 패딩 등 아우터 제품을 비롯한 캐주얼, 스포츠, 아웃도어 등이 시장을 견인한다면 국내 의류시장은 다시 성장세를 유지할 수 있을 것이다.

특히 유통망의 변화를 주목해야 하는데 오프라인과 온라인 및 모바일 경계가 모호해지면서 온라인 기반의 의류쇼핑몰들의 성장 추세가 두드러지고 있다는 점은 중요하다. 온라인에서 구매한 제품을 가까운 오프라인 매장에서 수령할 수 있도록 하는 옴니채널이 발전하고 있는데, 이에 따라 대부분의 패션업체들은 자사 온라인몰을 운영 또는 런칭을 계획하거나, 기존의 타 온라인 플랫폼을 활용한다고 한다. 패션 의류 기업은 오프라인 유통망과 온라인/모바일 판매 플랫폼의 적절한 포트폴리오를 구축하여 소비자 구매에 유연하게 대응하는 것이 중요할 것으로 판단된다.

앞으로의 패션산업의 전망은 AI를 활용한 소비 트렌드 및 수요를 예측하여 디자인 제시와 고객 서비스를 제공할 수 있다. AI는 제품의 디자인, 색상, 원단의 특성 및 소비자의 구매이력, 판매실적을 분석하여 향후 어떠한 제품이 유행하게 될지를 판단한다. 기업은 AI가 분석한 데이터 결과를 참고하여 제품을 생산하고 소비자는 AI가 추천한 제품을 구매하는 소비 패턴의 변화가 일어나고 있다.

또한 AR 거울을 활용한 가상 피팅 서비스를 제공한다. AR 가상 거울은 장비 보급 확대와 기술의 발전으로 패션업계의 새로운 마케팅 방식으로 점차 자리 잡고 있는 추세이다. 롯데백화점과 현대백화점은 3D 가상 피팅 거울을 활용해 인기 브랜드 상품을 피팅할 수 있는 서비스를 제공해 마케팅을 전개한다. 영국 명품 브랜드 버버리는 애플사의 AR 기술을 자사 스마트폰 애플리케이션에 도입했다.

4차 산업혁명과 더불어 패션산업도 나날이 발전하고 있다. 소비자의 소비패턴과 언제 어디서든 가상현실로 옷을 입어볼 수 있게 되었다. 소비자의 편의가 증대되어 만족도가 높아질 것으로 예상된다. 기업은 소비자 분석을 통해 효율적인 마케팅을 할 수 있게 되었다. 앞으로의 변화와 함께 패션 산업도 발맞춰 나가야 한다.

6. 참고문헌

1) 출처 : 루이비통
2) 출처 : 사람인, LOUIS VUITTON 신입 및 경력 채용
3) 인크루트
4) 출처 : 코오롱인더스트리
5) 출처 : 잡코리아, KOLON SPORT 여성의류 디자인 담당 모집
6) 출처 : 상동
7) 출처 : 패션그룹형지
8) 출처 : 잡코리아, 샤트렌 상품기획 경력직 채용
9) 출처 : 잡코리아, 샤트렌 상품기획 경력직 채용
10) 인크루트
11) 인크루트
12) 출처 : 성주그룹
13) 출처 : 사람인, [MCM] Merchandising Planner 채용공고
14) 상동
15) 신성통상 홈페이지
16) 잡코리아
17) 인크루트
18) Customer Relationship Management의 약자로 우리말로는 '고객관계관리'라고 한다. 기업이 고객과 관련된 내외부 자료를 분석·통합해 고객 중심 자원을 극대화하고 이를 토대로 고객특성에 맞게 마케팅 활동을 계획·지원·평가하는 과정이다.
19) 재고자산회전율 : 매출액을 재고 자산으로 나눈 것으로 재고 자산의 회전 속도, 즉 재고 자산이 당좌 자산으로 변화하는 속도를 나타낸다. 재고자산회전율이 높다는 것은 쉽게 말해 재고가 창고에 들어오기 무섭게 판매된다는 것을 의미하고, 재고자산회전율이 낮다는 것은 판매가 부진해 창고에 오랫동안 재고 자산이 쌓여 있는 것을 의미한다. 일반적으로 이 비율이 높을수록 자본수익률이 높아지고 매입채무가 감소하며 상품의 재고 손실을 막을 수 있고 보험료 · 보관료를 절약할 수 있다. 그러나 지나치게 높을 경우는 원재료 및 제품 등의 부족으로 계속적인 생산 및 판매 활동에 지장을 초래할 수도 있다.
20) <2016년 의류산업 경쟁력 조사>, 산업통상자원부 무역위원회 중소기업연구원(2016.02)
21) 자료: 통계청, 한국통계진흥원(2021), 2021 디자인산업통계조사에서 발췌 및 가공
22) 자료: 통계청, 한국통계진흥원(2021), 2021 디자인산업통계조사에서 발췌 및 가공
23) 자료: 통계청, 한국통계진흥원(2021), 2021 디자인산업통계조사에서 발췌 및 가공
24) 자료: 통계청, 한국통계진흥원(2021), 2021 디자인산업통계조사에서 발췌 및 가공
25) 2018년 한국패션 소비자 시장규모, 한국섬유산업연합회, 2018.2분기
26) 자료: 통계청(2020), 2020 6월 온라인
27) 자료: 카타월드패널(2015)/주:국내 1,000가구를 대상으로 조사한 결과.
28) 온라인 마케팅 동향 리포트 쇼핑몰, 에이스트레이더, 2018.12.06.
29) 자료 : Criteo(2016)/주 : 구매결정 소요기간이란 소비자가 구매를 목적으로 하는 상품을 최초 검색한 날부터 최종 구매한 날까지 기간.
30) 자료 : Boston Retail Partners(2017)
31) 자료 : magna global(2019.12), MAGNA Advertising Forecast(winter 2019 update)
32) 자료 : Boston Retail Partners
33) 산업통상자원부, 2017
34) 중소기업"백화점 판매 수수료는 42%, 대형마트마진율은62%, 한국일보, 2018.3.29.
35) 출저 : 스타필드 하남 홈페이지
36) 온라인 주먹구구식 경영엔 미래 없다, 패션인사이트, 2019.06.16. 발췌 편집
37) 자료 : 한국섬유산업연합회
38) 밀레니얼 세대란 1980년대 초부터 2000년대 초 사이 출생하여 2007년 글로벌 금융위기 이후 사회생활을 시작한 세대로, 모바일 기기를 이용한 소통에 익숙한 사람들이다. 2010년 이후 사회의 주역으로 점점 대두하고 있다.
39) 모든'이라는 뜻의 단어 omni와 '경로'를 뜻하는 channel의 합성어로, 기존 온·오프라인 유통 채널에 IT·모바일 기술을 융합한 유통 전략을 의미한다.
40) 쇼룸 비즈니스 : 자유무역지역의 중계 · 가공 무역 활성화를 조장하기 위한 목적으로, 견본품을 먼저 전시해 바이어에게 보여 준 후 상담을 통해 판매하는 사업을 말한다. [네이버 지식백과]
41) 출저 :김효정 (2015), 국내 디자이너브랜드의 해외시장 진출을 위한 글로벌 마케팅 전략 연구 p.75

42) 출저 : 김효정 (2015), 국내 디자이너브랜드의 해외시장 진출을 위한 글로벌 마케팅 전략 연구 p.86
43) 일본의 의류 시장 동향 / 해외경제정보드림
44) 한국콘텐츠진흥원
45) 한국섬유신문
46) 코로나 시대 성장 멈춘 패션 시장, 2020년 39조 4,376억원, -5.3%↓, 패션서울, 2020.08.10.
47) 2019 IO의류, 한국신용평가, 2019.01.17.
48) 2022년 하반기 복종별 경기전망 - 소비자 지갑 '열릴까' vs '닫힐까' 안개 국면 / 한국섬유신문
49) [키워드로 분석한 2023] 올해 패션시장 키워드는 'D.I.V.E I.N' / 아시아투데이
50) 2022년 6월 온라인쇼핑 동향 / 통계청
51) 정부, '메타패션'으로 온라인 패션시장 주도한다. / 서울경제
52) 양심적 패션 시장 성장세 / MZ세대 주도 '뉴럭셔리' 뜬다 / 오픈애즈
53) 자료원: 유로모니터
54) 2021년 미국 의류 산업 정보 / 코트라 해외시장뉴스
55) 출저: statista
56) "美 의류수입 반등세…속도는 Slow" / TIN뉴스
57) 2021년 이탈리아 섬유·패션산업 정보 / 코트라 해외시장뉴스
58) 영국 패션시장 동향 및 전망 보고서(2021.8) / 한국콘텐츠진흥원
59) 중국 의류 시장동향 / 코트라 해외시장뉴스(2021.12)

초판 1쇄 인쇄 2023년 1월 11일
초판 1쇄 발행 2023년 1월 23일

편저 미래기술정보리서치
펴낸곳 비티타임즈
발행자번호 959406
주소 전북 전주시 서신동 780-2 3층
대표전화 063 277 3557
팩스 063 277 3558
이메일 bpj3558@naver.com
ISBN 979-11-6345-411-3 (13590)

이 도서의 국립중앙도서관 출판예정도서목록(CIP)은 서지정보유통지원시스템 홈페이지(http://seoji.nl.go.kr)와 국가자료공동목록시스템 (http://www.nl.go.kr/kolisnet)에서 이용하실 수 있습니다.